UnRead
—
探索家

VACATION GUIDE TO THE SOLAR SYSTEM

太阳系度假指南

［美］奥利维亚·科斯基　［美］加纳·格鲁赛维克———— 著

OLIVIA KOSKI & JANA GREVICH

秦鹏———— 译

北京联合出版公司
Beijing United Publishing Co., Ltd.

献给维奥拉与詹姆斯，我的旅伴。

——奥莉维亚·科斯基

献给我的爸爸妈妈，
感谢他们唱了《我看到了月亮》（*I See the Moon*）给我听。

——加纳·格鲁赛维克

作者的话

自 1972 年以来，人类便没有再踏足过另一个世界（月球），有些人也许会因此而质疑，编写行星度假指南算不算明智之举。然而，如果你认为太空度假是一个遥远的幻想，可别忘了 100 年前飞机还是尖端科技呢。较快的飞机能以每小时 200 千米的"高速"飞行，在 2571 年内将一位具有远见的太空旅行者送到海王星。1989 年，旅行者 2 号飞船以每小时 6.8 万千米的速度在不到 12 年的时间里抵达海王星。谁又能知道，再过 100 年，去一趟海王星需要多长时间？你们在太空里度假的曾孙，说不定会在某个古老的火星图书馆里发现这本书，看着我们对未来的天真憧憬露出微笑。

假如我们没有先把自己消灭掉，人类总有一天会飞到我们在本书中描述的地方。这一点几乎毫无疑问。有了合适的资源，以及最重要的意志，我们可以游历遥远的世界。我们讨论的一些情景，比如人类探访月球和火星，说不定会在未来几十年内发生。其他一些情景，比如找到办法让我们的身体承受住木星附近的极端辐射、水星向阳面的高温，或者进行一次前往太阳系外围的漫长旅行，则需要更长的时间。在某些情况下，我们可以继续利用探测器和机器人探险家来模拟体验不适于人类生存的遥远行星环境。

在内心深处，我们是一群太空旅游从业者。我们的工作是把太空度假的想法出售给你。根据关于每个目的地目前最可靠的信息，我们编撰了这份指南。这些地方我们一处都没有去过，不过放心好了，我们有很好的消息来源，足以证实我们对那些度假地点的描述十分准确。在这本书中，我们美化了其他行星和卫星上存在的建筑物、城市和其他人工基础设施。而事实上除了探测器、漫游车和轨道飞行器的残骸、月球上六面可能已经被晒成白色的美国国旗，以及一些微小的碎片，其他行星上没有人造物，人类也不曾踏足过月球之外的其他星球。你在本书中发现的任何一点虚构都以科学和技术专业人士提供的信息为依据，意在传达出你在假期中可能会有的真实体验。

你要如何分辨内容的真实与否？目的地的自然属性，比如温度、白昼长度、气候等，都基于最新的科学研究，我们依据物理学来描述事物的行为。我们提到的任务、探测器、着陆器和某些特定的漫游车都确有其物。我们描绘的地貌与实际情况相符，地理位置的名称主要依据国际天文联盟的标准。为了方便阅读，我们选择在可能的时候使用中文翻译。经常用于科学文献中的拉丁名一般列在括号里。我们也会对现实世界中并不存在的事物进行艺术处理，比如提及地下和空中城市，当地的传说，租借漫游车、潜艇、飞艇、悬停汽车或其他游历异星地貌时会用到的交通工具，再比如能在某些极端环境中生存的可能性，或是你在太阳系中某些地点游历时所期待的轻松和惬意。

且不论蓬勃的创意，我们正处在太空探索热潮曙光乍现的时刻。2011年，游击科学（Guerilla Science）建立了第一个跨星系旅行社，为公众规划太空旅行。之后的短期内，人类对邻近行星的知识有了惊人的增长。科学界已经从冥王星、土星和木星带回了图像，并让一部机器人降落在了遥远的彗星上。人们还发现了数以千计的系外行星，也就是那些围绕着遥远恒星运转的神秘行星，而且每天还有更多的行星被证实。我们对其他世界的探索越多，就越能反思自己在宇宙中的位置。只要深入了解一下其他星球的环境和为了让人类在上面生存所必须采取的极端措施，任何人都能很快意识到地球是多么稀有和宝贵，而为了后代保护地球是一项多么迫切的任务。在太空里度假的目标与解决地球上社会、经济和环境等方面诸多迫在眉睫的问题并不矛盾，它甚至还能让人们更加懂得保护我们这颗星球，好让自己有家可回。

科学家们对地球以外的地方不断有着新的发现，而我们在努力研究如何保护已知的唯一适合人类生活的星球，与此同时，企业家们正在想方设法让太空度假成为现实。埃隆·马斯克（Elon Musk）的太空探索技术公司（SpaceX）向国际空间站运送货物，并希望最终将人类送到火星。其他公司，如理查德·布兰森（Richard Branson）的维珍银河（Virgin Galactic）和杰夫·贝索斯（Jeff Bezos）的蓝色起源

（Blue Origin），都希望能够把大众第一次带到太空边缘。一家名为"世界观"（World View）的公司希望利用高空气球让游客一览地球的曲线，而由经济型旅店巨头罗伯特·毕格罗（Robert Bigelow）经营的毕格罗宇航（Bigelow Aerospace）则希望有一天能出租环绕地球运行的充气旅馆房间。这些公司都是真正的太空度假行业的先驱。亲爱的旅行者，你踏上行程只是时间问题了。

你的火箭飞船正等着呢。

倒计时
COUNTDOWN

站在母星的大地上，你可以仰望夜空，畅想一个充满了冒险的轻松而浪漫的未来。每一枚光点都是一个可能的度假地。你想去哪里？

你的旅程会把你带到离家几百万甚至几十亿千米的地方。我们在地球上对距离的理解远不适于领悟隔在你和假日美好之间的虚无。每一次旅程都是不同的，我们无法预测你将拥有什么样的旅程，但是我们可以保证，你永远不会和以前一样了，你的身体、你的人生观和你对宇宙的理解都将被彻底改变。

你将探访的地方既陌生又熟悉。以地球为中心的时空概念将让位给一个更宏大的物理秩序的韵律。白昼可能更长或更短。一年，也就是绕太阳运行一圈的时间，可能相当于人类一生的好多倍。那里也许没有可供立足的土地。当你在另一颗行星上攀爬巍峨的火山，在深坑底部仰望星空，或者在充满瑰丽云团的天空中穿行时，你在地球生活中所面对的忧虑将会消失。你会直面自身的无足轻重，并对之报以微笑。

别担心，我们会帮助你有型、有腔调地在太阳系里度假。这是一份关于非凡假日的普通指南。我们将从基础知识开始：训练、打包，以及微重力健康和生活的基本原理。然后，我们将详细探讨你的行程安排。我们将前往太阳系的所有行星和其他游览地点，从地球近旁开始，旅行到更远的地方。月球之后是水星、金星和火星，然后我们会去太阳系外围的巨行星，也就是木星、土星、天王星和海王星探险。最后，我们将抵达冥王星。它已经不再被归为行星了，但仍然是一处奇妙的度假地点。在这些书页中，你会找到最合适的动身时间、到达后会看到的景象以及该如何在那里消磨时间的建议。

当你在土卫六的甲烷湖里泛舟，在火星水手谷的悬崖上攀绳下滑，或者在遥远的木卫二潜入冰层下的海洋时，你将明白身为一个外星人意味着什么。毕竟，我们是为在地球上生存而生，没有什么比在空旷无垠的外太空里度过一个长假更能让你意识到自己的人性了。

做准备
PREPARING FOR YOUR TRIP

太空度假可不是一场说走就走的旅行，不可能今天做决定，明天就离开。你需要努力训练，轻装上阵，而且需要很大的勇气。无论怎么准备，你都不可能真正体验到第一次离开地球的感觉。不过，这正是你决定离开的原因。

飞行前训练 | PREFLIGHT TRAINING

在地球上度过的时光塑造了你的身体。想要让它准备好经受太空旅行所带来的全新生理和心理挑战，需要付出极大的努力。积极锻炼吧。假如你能顺利归来，整个余生，你都会珍视自己这场旅行。出发前的一点辛苦，将有助于你在旅途中更好地放松、享受乐趣，而这才是更重要的事。

针对度假计划的训练需要几个月到几年不等，这取决于你想要去哪里。美国国家航空航天局（NASA）选拔宇航员的标准非常严格，休闲度假者并不适用。你在考虑自己的旅行时，可以把这些资格条件当作一份指南。不管你是否满足这些条件，我们都能找到让你去乐享假期的方法。

视力。每只眼睛的视力都必须校正到 20/20（1.0 视力）。过去，只有那些拥有完美视力的人才是太空旅行的候选者。但如今，激光手术能让更多的人满足这一条件。

血压。以坐姿测量，不超过 140/90。在地球引力场中，你的循环系统推动血液抵抗恒定的重力。一旦这种向下的力缺失，你可能会感觉到血液在往脑袋里涌。出发之前，你的血压状况越好，你就越有可能在面对叹为观止的景点时不犯心脏病。

身高。站立身高在 145cm ～ 190cm 之间。设计一个能够适应各种身高的座椅是很困难的，乘坐飞机的高个子就可以证明这一点。NASA 的身高要求不像以前那么严格了，在 20 世纪 60 年代，宇航员的身高不得超过 183cm。大多数美国职业篮球联赛（NBA）的运动员都无法成为 NASA 的宇航员，而这一点太糟糕了，因为在月球上扣篮一定会是无与伦比的体验。

军事水中生存。懂得如何穿着十几千克的战斗器具在水中生存，意味着你准备好了面对一次紧急迫降。

潜水认证。这项训练不是为了让你在珊瑚礁潜水，而是让你能在太空中行走。学习在水下呼吸压缩空气将使你习惯于在太空的真空环境中利用空气罐呼吸。

游泳测试。脚蹬飞行鞋和网球鞋，在 25 米的泳池中不间断往返。这项标准测试将确认你是否满足了假期的体能需求。

压力测试。在高压舱和低压舱承受不同的压力。在你的假期里，你的居所和宇航服将保护你免受危险的高压或者低压的伤害。在离开之前习惯巨大的压力变化将帮助你适应那种迷失方向的感觉。

重力训练。一天体验 40 次时长 20 秒的失重状态。飞机可以沿着巨大的抛物线轨迹飞行，从而在机舱内模拟微重力环境。当飞机沿弧线向下飞行的时候，你将有不到半分钟的悬浮时间。而在上升段，你体验到的重力将高于正常值。如果你能在所谓的"呕吐彗星"上挺过这种眩晕之旅，你就很有可能挺得过每天的失重。

中性浮力训练。水箱是在地球上模拟微重力环境的最好方式之一。你将带上配重，防止你上浮或者下沉。

带些什么 | WHAT TO PACK

你已经预订了行程，完成了飞行前的训练，是时候收拾行李了。除非你要到月球来一趟短途旅行，否则你需要准备离开家很长一段时间。仔细考虑你到底需要带些什么，因为发射成本并不便宜。你和你的行李必须以至少每小时 27359 千米的速度被射入太空，到达旅程的第一站——围绕地球的轨道。

美国的航天飞机还在服役的时候，把 1 千克重的东西送到距离地面 400 多千米的国际空间站上，平均花费超过

22000 美元。相比之下，一个 50 磅重的行李箱被航空公司收取 40 美元行李费（约合每千克 1.8 美元）似乎还不算离谱。虽然价格在下降，但即使是最富有的探险旅行者也必须尊重物理定律。你需要多带一双袜子吗？留在家里的每盎司都能为你节省 625 美元（约合每克节省 22 美元）。

以下是每位旅行者都应该考虑的一些基本物品：

尼龙搭扣。在你的小舱室里追逐过 50 次松脱的笔后，你会深切体会到自粘尼龙搭扣的价值。

强力胶带。阿波罗计划的宇航员曾经使用这种万能贴修理月球车上的挡泥板。

急救箱。除了基本的绷带、药物和软膏，你还需要外伤用品和手术用品。做好一切准备，搞不好你就是飞船上最有资格为旅伴切除阑尾的外科医师了。

毛巾。如果在微重力环境中出现了溅洒，你必须在水滴飘走之前及时捉住它们。

肥皂。你不会经常洗澡，但是如果你确实要带肥皂，一定要带固体的，因为液体肥皂在微重力环境中会变成一片狼藉。

面巾。擦掉脸上的油脂只会刺激皮肤分泌更多油脂，然而很多太空旅行者都受不了皮肤不干净。

干洗头粉。这种粉状物质可以吸收头皮上的油脂，且不需要浪费水。

衣服。一定要带经过处理的，可以减少细菌、气味和各种皮肤问题的衣服。

照相机。要是不能让地球上的朋友都嫉妒你的月球自拍，太空度假还有什么意义呢？买一部可以承受恶劣环境的耐用相机吧。

笔记本电脑。为避免出现故障，请尽量选用防辐射的型号。

牙刷和牙膏。你可以带上你的旧牙刷，但刷牙将是一个与你的习惯截然不同的过程。你需要在身旁放一个装满水的饮水袋。把牙刷弄湿，刷毛会吸水。加一点儿牙膏，从你的饮水袋中再吸一些水，然后刷牙并吞咽。在这个过程中，千万不要让任何东西飘走或者从你的嘴里跑出来。

内衣。没有什么比穿上新的内衣感觉更好的了。动身之前尽可能多地享受这个简单的动作，因为你在太空里更换内衣的次数会很少。日本宇航员若田光一曾穿着同一件浸银抗菌的内衣在国际空间站里待了两个月，什么问题都没有。

睡衣。为了调节温度以及保持心理健康，一套舒适的睡衣必不可少。

活动服。你需要经常锻炼，以免骨质疏松。

好看的礼服。裙子穿起来好看，但是你需要像电影《七年之痒》（*The Seven Year Itch*）中站在地铁下水道孔盖上方的玛丽莲·梦露一样不停地把它摁下来。

珠宝及饰品。如果佩戴珠宝，请一定要戴不会飘来飘去的，比如颈圈、耳环和用来光着脚显摆的脚镯。为了避免出现短路，请不要戴悬垂耳环、长项链或者任何由导电金属制成的东西。

纪念品。纪念品通常是在度假期间收集的，但针对太空度假而言，你应该从家里带，因为普通物品在太空里转一圈之后就会成为珍贵的纪念品。每位参观国际空间站的旅行者都会得到一个个人喜好包（PPK），3英寸（约7.6厘米）见方，可存放不超过680克的物品。它仅可以容纳纪念这趟旅行的珠宝、照片或标志。如果是较长的旅行，你的限额可能更少。

收拾行李的时候请记住，你在地球上享受的几乎无限的可呼吸空气在太空里是不存在的。你带的东西越多，留给提供水、空气和废物处理的生命支持系统的空间就越小。

穿戴整齐 | SUIT UP

每个旅行者的行李清单各不相同，但是有一套装备是每一位太空游客都需要的——宇航服。太空对人体充满了敌意，而宇航服创造了一个适合我们生理结构的微型环境。它是一艘可穿戴的宇宙飞船。

每件宇航服都能够实现水循环、温度调节、供氧和屏蔽辐射等功能。一套好的宇航服也应该能够承受住微小陨石的轻微撞击，这些讨厌的太空小石子飞得比子弹还快，会对我们的生命安全造成威胁。

所有这些先进技术都是昂贵的。美国联邦航空管理局批准的舱外活动服成本至少在 200 万美元。仅仅为了维护现有的库存，NASA 每年就要花费数百万美元。宇航服是模块化的，你可以和朋友共享零件，轮流穿戴，以便节省成本。根据你的行程，你可能需要一套单独的衣服来应对异星的空气、温度、压力和重力。

一个更舒适但还处于实验阶段的选项是紧身生物服。它不是用空气填充你和衣服之间的空间，而是以机电方式向你施加舒适的压力。电路织就的高级纤维在人体的移动过程中会以合适的力度挤压你的身体，这能够让你在真空环境中拥有最大限度的灵活性。

购买宇航服时，要特别注意尺寸是否合体，记得要在模拟广袤太空的真空室中测试全套衣服。移动时，它不应该造成任何挤压，不能像拐杖似的顶到腋窝。发生这种情况的部位叫作侵入区。裆部是最大的侵入区，尤其是对男人来说。穿上宇航服后，注意一下你的膝盖后面和肘部内侧的感觉如何，这些地方很可能是麻烦所在。

手套需要保证质量及舒适度，你的手腕应该能够自由活动。手指需要插到手套顶端，同时手套不能抵在手指之间的皮肤上。确保手掌杆——防止手套膨胀成一个无用的球的构造——不挤手。利用性能测试测量你戴手套时的握力、精确度和力量。要想体会一下戴着这些东西是什么感觉，可以尝试用半充气的气球套住双手玩玩魔方。

太空飞行中有何期待 | WHAT TO EXPECT ON THE SPACEFLIGHT

也许曾经有那么一两次，你在飞机上不得不忍受哭闹的婴儿、粗鲁的乘客和狭窄的座椅。比起乘坐喷气式飞机，乘坐火箭飞船更令人兴奋，但也更难受。你将在新的环境中，与新结识的人一起，努力对付身体和日程的改变，而当这一切发生的时候，被你一直以来称为家园的那颗星球上令人欣慰的拉力将不复存在。

[重力]

-

从蹒跚着迈出第一步开始，你就已经直观地理解了生存在我们所谓的 1G 中是什么意思。地球对你——以及你对地球——施加的恒定拉力是我们所认为的"自然"引力。它是完全可靠的。如果你在纽约站到体重秤上，你可以肯定它得出的数字和你站在东京的秤上时一样——多少有点小误差，这取决于你这一路上有没有吃零食。在太空以及其他行星和卫星上，情况就不是这样了，你将会应对高重力、低重力、微重力以及人工重力。

［高重力］

-

当你冲上天空，开启你的度假之旅时，会被一股令人陶醉的力量压在座位上，它相当于地球重力的 2～3 倍。那种感觉就像是坐在了嘉年华会的大转轮上。你所体验到的大部分超重都是完全可控的，而且还挺好玩。不过，你有必要了解一下当加速度变得过大时会有哪些预警信号。

你的眼睛，尤其是视网膜，对于超重时血流的改变非常敏感。你眼中的景象可能会变得黯淡、失去色彩，就好像黑白电视机中的画面，这种现象被称为"灰视"。接下来，你会出现隧道视觉，它还可能出现视野更小的枪管视觉。下一个阶段是黑视，你将完全失去视力，最后，你会因为加速度引发的意识丧失而昏倒。不过，如果加速度增大得很快，你可能会在注意到问题之前就昏了过去。

请记住，不是所有的加速度都会以同样的方式影响到你。方向为从头到脚的力要比从胸部到背部的力更具破坏性，这就是为什么你的座椅靠背在发射过程中会与地面平行。

你可能需要在出发前几周练习对抗加速度的紧绷动作。收紧手臂、腿、胸部和腹部的肌肉。深呼吸，念出"hick"这个单词，闭合你的气道。在接下来的 3 秒内，用力绷住，然后快速呼气。重复这个过程。在超重的情况下，当你的大脑需要血液来保持意识清醒时，这个动作有助于防止血液汇集到身体其他部位。

[微重力]

-

发射大约 10 分钟后，火箭就会停止推进，你的感觉会从重如泰山变成轻如鸿毛。一旦安全，你就可以解开安全带，飘离座位。欢迎来到失重状态。

在环绕地球的轨道上，你处于微重力环境中。这并不意味着一旦离开大气层，地球的重力就消失了。在大约 400 千米——差不多为纽约和华盛顿之间的距离——的高空，引力仍相当于地表上的 90%。如果能建造出一座那么高的塔，而你不小心在上面踩空，你仍会像石头一样坠落到地面上。但是因为你和你的飞船在以超过每小时 27000 千米的速度围绕地球飞行，你并不会在坠落时撞到地球。同样，因为你和你的宇宙飞船以同样的速度坠落，你会感觉自己失去了重量。

微重力会对你的身体造成奇怪的影响。在进入太空的最初几天里，你可能会患上"胖脸鸡腿"综合征。你的脸颊会膨胀，腿会变得更细，因为你的身体为了对抗重力作用，会努力将流体向上推。如果你还想长高一点，这里有个好消息——你确实会长高，因为你的椎骨之间的空隙会因为充满了液体而扩张。

[低重力]

-

你将要拜访的几个星球的重力都比地球小。在一个球下落的初始速度没那么快、高尔夫球打出 400 米也没什么了不起的世界里，当你学习走路、跑步，进行日常活动的时候，你会感到下盘发飘，没那么容易保持平衡。接抛球的杂耍和跳跃这样的普通活动变得非同寻常，在一些小行星和彗星上，你可以一跃不复返。

[人工重力]

-

无论是虚无的太空，还是其他行星或卫星，似乎都无法为人类提供合适的重力。高重力会扰乱你的感官，有可能造成伤害。在低重力的卫星上长时间停留会削弱骨骼的力量。在外太空的自然微重力条件下，你需要每天锻炼两个小时，以免肌肉萎缩。

如果不想做这些练习，你还可以选择人工重力。它的工作方式很简单，你需要让宇宙飞船像巨型旋转木马一样旋转起来。旋转的航天器的外缘相当于人工重力家园的地面，重力的强度则取决于宇宙飞船的大小和转速。

最高质量的人工重力在你的头顶和脚趾上造成的感觉是一致的。获得这种自然重力感的最好方法是让巨大的飞船以

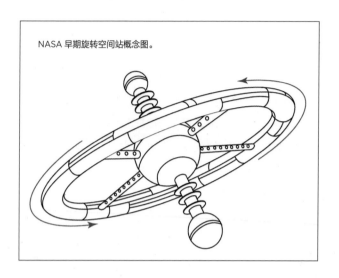

NASA 早期旋转空间站概念图。

难以察觉的低速旋转。较小（也因此更便宜）的设施可以用更高的转速弥补它们尺寸上的不足，但这会让许多人眩晕。如果你不想让自己的骨头酥掉，你需要偶尔体验一下人工重力，或者直接花更多的钱进入大型飞船。

健康 | HEALTH

你无法预测到自己对新时区、新美食和新气候的适应情况。在失去了方向感的环境里，诸如睡觉、吃饭、如厕这样看似简单的任务，也会让人感觉难以搞定。当进行一次简单的太空行走都需要认真练习填充空气罐、检查控制系统、检查宇航服有无泄漏时，休息、补充营养和锻炼是必不可少的。疾病造成的失误事关生死。

[食品和营养]

-

坦白说，在太空里吃饭并不是一种愉快的经历。低重力引起的鼻塞会干扰你的嗅觉，你会像感冒时吃东西一样味同嚼蜡。不过别担心，你很快就会习惯吃成袋的补水食品了。在饭菜中加入辣酱可以改善口感。你甚至可能开始盼着吃些昆虫，它们是高效的蛋白质来源，你可以选择在长途太空飞行中进行养殖。在特殊的场合下，你可能会吃到多汁的温室西红柿或脆莴苣头，但是大多数时候，你只能吃热量很高的压缩食物。你需要服用维生素来弥补有限的饮食品种。

在太空里做饭是一个棘手的难题。明火和电炉在低重力条件下是不安全的，因此你的选择只剩下微波炉和感应炉了。你需要练习在摄入补水食物和饮料时不制造混乱，避免那些食物碎屑和液体飘进你的眼睛或者电子设备里。

在你的飞行途中，饮用水、清洗用水、刷牙用水，甚至如厕时排出的水都可以通过蒸馏系统得到处理和再利用。你排出的汗水和呼出的气息增大了飞船内的湿度，也能通过冷凝成为飞船循环供给的一部分。定期检查这些系统是很必要的，因为没有人喜欢喝味道像尿一样的水。

[睡眠]

-

在太空里睡觉是一件不寻常但又有助于恢复体力的事情。许多资深旅行者声称微重力是最好的床垫。你不需要枕头，可以在飞船里的任何地方休息。一面合适的墙壁，加上防止你乱飘的睡袋和捆扎带，是你安顿下来度过长夜的全部所需。没有了上和下的概念，你可以以任何姿势入睡。你的手臂可能会自然而然地向前伸，摆出僵尸的姿势，你的头也会稍微向前倾斜。在这里需要提醒一下那些容易入睡的人：

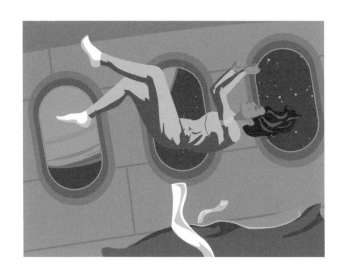

感到疲倦的时候，一定要把自己固定在一个稳定的物体上，否则你很可能会飘走、碰到头。

闭上眼睛入睡时，你可能会注意到明亮的闪光。那不是狗仔队，而是一束穿过你眼球内部的宇宙射线。它会令人不安，但你可以这样安慰自己：这些粒子中的一些从遥远的星系飞来，只是为了在你的脑壳里消逝。

一条关于亲密关系的简短提示：你原本轻车熟路的活动到了太空里可能会变得不好办了。在轻轻一推就能让你飞走的情况下，你需要找出耳鬓厮磨的最佳方式。许多人因此变得沮丧，宁愿独自睡觉，但你最好还是把它看作一项令人兴奋的新挑战。

[视力]

-

微重力会对你的眼球造成不好的影响。你的视神经肿胀，压迫眼睛后部，造成轻微的视力模糊。与身体形状上的其他变化不同，即使你回到了地球，你的眼睛也会保持着它的新形态。在严重的情况下，你可能需要进行视力矫正。

别管是因为"眼睛里进了东西"还是惯常的存在主义恐惧，每个人都需要偶尔痛哭一场。泪水不会成滴地下落，而是在你的眼睛里积聚。如果发生这种情况，不要担心，只要把泪珠轻轻擦掉，享受宣泄。

[卫生用品]

-

尽管在飞船的过滤空气中——温度保持为令人舒适的22摄氏度——你不会出太多汗，但你还是需要重新考虑个人卫生标准。衣服在太空中不会像在地球上一样容易变脏，这很好，因为你需要多穿一阵子。在任何长途旅行中，你都应该尽可能少地用到水和湿毛巾，或者干脆长时间不洗澡。如果你不洗澡，大约 5 天后，你的衣服就会被分泌物浸透，不能再吸收了，你的皮肤开始变硬、发臭。但幸运的是，人类的嗅觉非常善于适应。

虽然你会想要换衣服，但那样做只会刺激你的皮肤分泌更多油脂。你要尽可能地压制这种冲动。大概 8 天之后，你就会适应，不会再闻到这些难闻的气味了。一旦你的衣服不能穿了，你可以像国际空间站上的宇航员所做的一样，把它们扔掉便是。

[如厕]

-

在太空里上厕所需要一些练习，因此你要准备迎接一段时间的如厕训练。低重力厕所会采用抽吸的形式，将排泄物安全带走。液体将进入水回收系统，固体将被排出。如果你在长途旅行中自己种植食物，你的固体废物就可以变成肥料。你可能会发现，没有了重力的帮助，五谷轮回所需的时间要比在地球上长一些。

[心理健康]

-

身在逼仄的空间中进行一场长时间的航行，每个人都会发现自己经受着极限的考验。如果你不知道自己能否撑住，你可以尝试一个叫作 SUBSCREEN 的评估。20 世纪 80 年代以来，美国海军一直在用它测试，看看潜艇艇员是否适合在海洋底部待上几个月。不用担心，参与测试的人有 97% 的通过率。不过，定期的心理健康检查是至关重要的，因为长途旅行会对你的大脑产生奇怪的影响。

[辐射]

-

国际空间站里的宇航员主要靠地球磁场抵御空间辐射。空间辐射会改变你的 DNA，从而损伤细胞，并进一步引发癌症。它甚至可能引起严重的大脑损伤，这种情况被称为"太空脑"，其症状包括焦虑、抑郁、决策困难和记忆障碍。如果你注意到某位同伴的行为开始变得不正常，可能是时候进行检查了。避免任何潜在伤害的最好方法是确保你拥有防护良好的飞船和宇航服，或者干脆待在家里。

[死亡风险]

-

在太空里有很多种死亡方式，离开地球前最好把事情安排妥当。

以下是部分风险清单：

缺氧。你的身体需要持续不断的氧气供应，红细胞需要用它来产生能量。其他行星上有氧，但并非可呼吸的形态。

减压。快速减压很可能是致命的。

有毒气体。许多行星和卫星的大气会刺激皮肤或造成可怕的灼伤。

活活烧死。太空中的飞船发生火灾时，乘员往往无处可逃。

坠落。在微重力环境中坠落并不危险，因为并不存在上和下的概念，但若是在低重力环境中，坠落也会造成伤害。

被意外地遗忘在某处。紧急疏散偶尔也会发生，有时候少数人的需要不得不让位给多数人的需要。

食物耗尽。粮食在太空和异星环境中难以生长，你几乎没有让自己出错的空间。

冻死／体温过低。许多人会把寒冷的气候和外太阳系联系在一起，但是在无空气环境中的背光区域，哪怕是在太阳附近，温度也会迅速下降。

骨质流失。如果不经常锻炼，你的骨骼会逐渐变得脆弱。

爆炸。小型爆炸也能很快升级为一场毁掉飞船的灾难。

核事故。在前往外行星的长途旅行中，你需要依靠核动力维持光照，其间有可能发生事故。

小行星撞击。希望你足够留意周围的环境，能在小行星撞到你之前就发现它们，不过，太空里总是充满了意外。

目的地：月球
DESTINATION · MOON

太阳系内有那么多卫星（moon），但只有一颗的英文名使用了这一类天体的统称，那便是地球的卫星：月球（Moon）。它形成于我们这颗星球历史的早期。当时一颗火星大小的岩石撞上了地球，熔化的岩石被这场灾难性的撞击抛入太空，演变成环，并最终形成了一颗从那时起就一直绕着地球运行的卫星。[1]

在地球上仰望天空时，你会经常看到月球，但游客们在体会到它真正的异星本质时，还是会大吃一惊。用阿波罗计划宇航员巴兹·奥尔德林（Buzz Aldrin）的话说："没有什么东西能让我准备好面对那严苛的地貌。那里荒凉贫瘠、起伏不定，地平线比我习惯的近得多。"

月球往往是更长旅程的第一站，它可以让人们初步体验低重力的奇怪世界和在真空的太空中旅行的挑战。值得一提的游乐项目包括：参观令人深感自身渺小的月牙形地球景观，乘坐月球车参观静海里颇具历史意义的阿波罗 11 号着陆点，以及挑战自己——在一个没有空气且你的体重约为故乡六分之一的地方练习走路和运动。

——

[1]　关于月球的形成，学界存在不同的假说，目前得到普遍认可的是撞击说。

速览

AT A GLANCE

直径：地球的 27%

质量：地球的 1%

颜色：月球灰

绕地球运行速度：大约每小时 3680 千米

引力：一个 60 千克的人所受的重力相当于地球上的 10 千克重力

空气成分：痕量氦 -4、氖 -20、氢和氩 -40

构成：岩石

光环：无

温度（最高、最低、平均）：116 摄氏度、零下 179 摄氏度、零下 20 摄氏度

一日长度：708 小时 54 分钟

一年长度：1 个地球年

绕地球运行周期：大约 27 个地球日

与太阳的平均距离：1.5 亿千米

与地球的距离：35.7 万～ 40.7 万千米

旅行时间：3 日

向地球发送信号的时间：1.3 秒

季节：难以分辨

天气：无

日照：差不多和地球一样，但是光线更加强烈

独特景观：南半球的第谷撞击坑

适宜：短期度假

天气和气候 | WEATHER AND CLIMATE

月球上没有大气，因此也没有天气，许多游客都觉得安静的环境相当令人放松。你不必考虑季节，月球的自转轴只倾斜了 1.5 度，几乎可以忽略不计。无论你身在何处，一年到头的光照总是保持不变。你不会遇到意想不到的风暴，但温度的起伏很剧烈，白天可达 116 摄氏度，到了晚上则直降至零下 179 摄氏度，这使得收拾行李成了一件令人头疼的事，就好像是要去地球上最热的沙漠里远足，中间还打算在南极过一夜。但幸运的是，这种温度的大起大落每 14 个地球日才会发生一次，你有足够的时间适应新的环境。虽然太空本质上就是个寒冷的所在，无论走到哪里，你都可能遭遇破纪录的寒潮，但月球上的低温可不会逊色于太阳系里的任何一个地方。这是冥王星级别的寒冷。喜欢这种把人冻成冰疙瘩天气的人可以前往月球南极，那里的环形山太深了，阳光根本照不到那里。

如果你喜欢不高不低的温度，最好选择在黎明时分外出冒险。只是要小心——有时月球上黎明时分的静谧会被月震打破，那是冰冷的月球外壳两个星期以来第一次被太阳照射时升温造成的。这种月震以及其他始于月表以下很深处的震动，或者由陨石撞击引起的月震，大多温和无害。源自月表以下十几到三十千米的浅层月震则可以震响沉重的家具，造成建筑物的晃动。因为月球上的极度干燥和寒冷，物品发出的声音如洪钟一般，而月震可以持续十分钟之久。如果你发现自己遇到了月震，不要惊慌。保持冷静，尝试享受那种摇摆。

要想获得完整的月球体验，请务必待够一个月球日。这个时间要比听起来长，月球上的一天相当于 30 个地球日。这将给你足够的时间来探索月球正面和背面。

何日启程 | WHEN TO GO

如果你还没有去过月球，应该马上就去。合上这本书，给你们当地的星际旅行社打电话，预约旅行。你还在等什么？没有比现在更合适的时机了，因为月球正以每年 3.8 厘米的速度远离地球。再等 8 年，你就要多走 30 厘米了。

去一次月球相当于环游世界 10 次，因为这正是你抵达那里需要飞过的距离。火箭飞得比飞机快得多，几天之内你就能到达月球轨道，对着一百多千米以外的灰色月面惊叹不已。如果有什么地方你想趁着有太阳的时候看，就得提前计划一下，因为月球的夜晚太长了。如果待足一个月，你肯定可以看到自己最喜欢的景点在阳光下的样子。请对照你的行程单检查一下光照情况。

你的月球之旅始于太空港。太空港就像机场一样。大多数情况下，你会从发射台而不是跑道出发。它们往往位于沙漠或水体附近，以防火箭在起飞时爆炸或坠毁。你可以在出发前先去发射场附近来一趟假日郊游，毕竟它们一般都选在天空晴朗、天气平静的地区。这可能是你对地球的最后记忆。

你需要达到每秒11.2千米的高速，即地球的逃逸速度，才能够摆脱地心引力的束缚。要想做到这一点，你将被捆绑在一次（但愿）受控的爆炸中。假如你打算飞到太阳系边缘，那么从地球表面发射升空几乎就要耗费全程所需能量的一半。这就是宇航员们那句话的来历："进入轨道就算是走了一半。"你可以选择靠近赤道的星际航班，以便节省开支。在那里向东发射，可以从地球的自转借力。

喷气发动机非常适合把你从地球的一边带到另一边，但是它们所需的恰好是太空里缺乏的东西——空气，特别是空气中的氧气。很多飞船的化学火箭燃料会自己供应氧气来产生推力。对于短途的月球之旅，你一路都不必担心燃料。要是前往更远的地方，你可以在许多类地世界中获取化学火箭燃料的基本成分，这也就意味着你不必备上所有的燃料。

把第一批人类送上月球的电脑远不如你的智能手机强大。这趟38.4万千米的旅程需要3天，但是如果你只是路过而不停下，就可以在 9 个小时内抵达。前往月球时你很难迷路，因为从地球上就能看到目的地，这是个只需将船头对准正确方向的简单问题。

途中需要留心范艾伦辐射带，这一区域内满是被捕获的粒子。这些粒子对人类没有什么伤害，但有可能严重损害你的电子设备。地球的范艾伦辐射带主要分为两个部分：一个距离地面 600 千米～ 9000 千米，另一个距离地面 13500 千米～ 58000 千米。阿波罗任务的科学家起初担心它们可能会影响宇航员的健康，但是飞船上的辐射探测器表明，穿越过程中的辐射水平仍然处在安全范围内。不过，你们也许想借此看看哪位旅伴在穿行过程中屏住呼吸的时间最长。

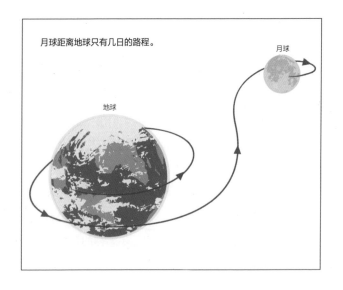

月球距离地球只有几日的路程。

月球

地球

到达月球轨道后，你就可以参加开香槟的传统庆祝活动了。小心一点，在宇宙飞船的低压环境中打开一个瓶子很可能是危险之举，要留心从瓶口里高速冲出来的瓶塞，以及不可避免的飘浮泡沫团。

到达之后 | WHEN YOU ARRIVE

许多人发现，在与月球的第一次亲密接触中，他们体验到了一种混杂着似曾相识和恍若隔世的愉悦感受。人类所熟悉的那些月球特征慢慢化作广阔而黑暗的平原、宽广的撞击坑和山脉。抵达后，有一些游客会停留在月球赤道上空的低轨道上。不要急于着陆，许多风景远观效果更佳，而且之后你还会有足够的时间去抵近探索。

还有一些游客会选择最省钱的方式——乘坐太空电梯——抵达月表。你将在一个远离月球的地方出发，那里叫作地月拉格朗日点，也叫 L1。L1 位于地球和月球的轨道之间，但是更靠近月球。在那里，地球和月球的引力共同创造了一个相对于月球保持位置不变的轨道。通过一根超长的强力缆绳，月球太空电梯将位于 L1 的空间站与月表连接起来。你将带着随身物品进入电梯间，然后慢慢降到月面。比起乘坐火箭，太空电梯的效率更高，成本也更低，但它有可能因为遭到微陨石的撞击而毁坏。

如果你到达的是月球对地的一面，不要忘记回头看看你的家园。初见此景的人，在凝视着那颗悬在黑暗中的纤巧蓝色弹珠时，都会产生强烈的敬畏与震撼。在这里拍照需要动用你的智慧，也许可以尝试摆一个把整个地球握在手中的姿势。

入住酒店时，请务必选择一个能够看到地球的房间。这

你启程之前去过的所有地方的照片。
——
美国国家航空航天局 / 戈达德太空飞行中心 / 亚利桑那州立大学

样你就能观赏地球的美，无论它是被完全照亮，是像一抹新月似的闪闪发光，还是通体漆黑地镶嵌在熠熠群星之中。月球总是用同一面对着地球，因此地球永远不会离开你的窗户。有报告称，月球上存在着只在地相圆满时出现的狼人，但那都是夸张的说法，就像那条名为"Pahasydämiset"的流浪多头蛇也并不存在一样。（这一传说起源于一个晦涩的芬兰民间故事，据我们所知是捏造的。）在地球渐圆的过程中，你可以尝试寻找人类的文明之光以及地球阴影中的大陆轮廓。

安顿下来之后，你需要熟悉旅游礼仪和规范。绝不要锁上建筑物的气闸。万一你被困在外面，宇航服上的一个小洞就足以危及你的生命，考虑到这一点，这项规定可谓生死攸关，必不可少。此外，水是很宝贵的，哪怕些微的浪费都会被视为不可原谅的罪行。提防那些试图卖给你月球土地的人。别管他们怎么说，这里的土地是不能够买卖的，那些人只是在图谋诱使你陷入房地产骗局。

何以代步 | GETTING AROUND

不再受制于强大的引力意味着可以不拘泥于传统的地面旅行方式。任何人都可以租一辆漫游车，但是那些真正懂行的人会选择跳跃机。乘坐跳跃机游历月球不仅是一种难忘的有趣体验，还会让你在长途旅行中提升效率。跳跃机看起来就像最早的阿波罗月球着陆器，有四条腿和一个安放座位、货物和燃料的区域，配备着铰接支柱和弹簧，电源能够积攒能量，然后突然释放，让跳跃机猛地弹起来。在没有空气阻力的情况下，你将沿着一条大弧线越过月表，一跳的距离短则100多米，长可达近500千米。你在月表移动的速度将取决于跳跃时的电力，以及当地的月表重力。进行长途旅行时，你需要在地图上规划好停车站，以便为燃料电池补充氢气和氧气。

如果你喜欢乘坐漫游车旅行，那就要准备好以悠闲的高尔夫车速缓缓横跨月表。月球漫游车速度表的最大刻度只有20千米。如果以每小时16千米的速度不停行进，你可以在大约28天内环绕月球一周。

由于没有大气，你不可能进行飞机旅行。任何飞行都需要火箭动力。当你准备离开时，返回轨道的花销可不算便宜。你需要达到每小时8529千米的速度才能摆脱月球引力。

有何好看 | WHAT TO SEE

[月球正面和月球背面]

-

别管平克·弗洛伊德（Pink Floyd）乐队怎么说，月球是没有阴暗面的。[1] 和地球一样，除了极点，月球上的任何地方都有规律的日夜循环。白天阳光灿烂，天色乌黑，几乎看不到星星。在月球的夜晚，你看不到太阳，但是天空中群星璀璨。

月球没有永恒的阴暗面，然而由于潮汐锁定，它有一面永远背对着地球。地球的引力并非从前到后均匀一致地作用在月球身上，因此月球被拉长，两侧凸起。随着时间的推移，地球对凸起部分的拉动减缓了月球的旋转，所以在地球上只能看到它的一个面。就像一位想把什么东西藏在身后的朋友一样，月球侧身掠过地球的天空，从来不肯展示自己的背面。在月球成为热门度假地之前，关于它的另一面可能隐藏着什么，流传着一些乱七八糟的说法，时至今日，那里仍然保持着某种神秘氛围。

你会注意到月球正面比背面分布着更多的平坦区域，这些区域叫作"海"。月球形成后，地球保证了其正面的温暖和表面之下的熔融状态。小行星撞上月球正面时，熔岩喷射出来并冷却形成平原。[2] 海的图案构成了月球的面貌。如今，你终于可以抵近欣赏它的容貌了。

月球背面没有正面那样的海，而是到处分布着撞击坑。据阿波罗宇航员威廉·安德斯（William Anders）说，月球的另

---

[1]　平克·弗洛伊德乐队曾于 1973 年推出专辑《月之阴暗面》（The Dark Side of the Moon）。

[2]　一般认为，月海是由月球内部的熔岩通过火山活动溢到低洼区域而形成的，跟小行星撞上月面没有直接的关系。

一面"就像我的孩子们刚刚玩过的沙堆"。它嶙峋的模样并不是因为遭遇了比正面更多的太空碎屑，而是因为熔融表面凝固得比正面快，使得较古老的环形山得以保留下来供你欣赏。你在月球背面看不到地球，而这正是有些人喜欢去那里的原因。

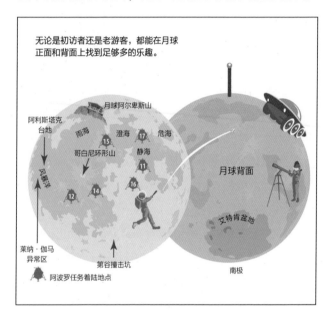

无论是初访者还是老游客，都能在月球正面和背面上找到足够多的乐趣。

月球阿尔卑斯山

阿利斯塔克台地

雨海　澄海　⑰　危海

哥白尼环形山　静海

⑮

⑪

⑭　⑯

⑫

莱纳·伽马异常区

第谷撞击坑

🔔 阿波罗任务着陆地点

风暴洋

月球背面

艾特肯盆地

南极

[历史遗迹]

-

历史爱好者将欣赏到 6 处阿波罗登陆地点，特别是阿波罗 11 号登陆澄海的地点。一定要去探访保存完好的第一批人类足迹，那是宇航员尼尔·阿姆斯特朗（Neil Armstrong）在 1969 年时留下的。令人惊奇的是，到访月球的第一批游客飞过了 38 万多千米，结果在月球上的活动范围还不到一个棒球场大。他们只停留了 22 个小时，在外面花了两个半小时踢土、练习走路、收集带回家的石头。他们立下的旗帜在离开时就倒下了，之后又被阳光和辐射照成了白色。后来的阿波罗任务拜访者有了更多的机会真正当一名游客，比如练习打打高尔夫球。

中国的"嫦娥"探月计划留下了另一处历史遗迹。名为"玉兔"的漫游车探索月表长达 31 个月，之后在微博上实时播报了自己的死亡。它最后的消息是："晚安，地球。晚安，人类。"你可以在雨海参观它的长眠之所。

[月球博物馆]

-

月球博物馆是一块小小的陶瓷片，尺寸约为 2 厘米 ×1.3 厘米，上面印着 20 世纪几位流行艺术家作品的微缩黑白版本，这些艺术家包括约翰·张伯伦（John Chamberlain）、福里斯特·迈尔斯（Forrest Myers）、大卫·诺夫罗斯（David Novros）、克拉斯·欧登伯格（Claes Oldenburg）、罗伯特·劳森伯格（Robert Rauschenberg）和安迪·沃霍尔（Andy Warhol）[1]。这个颠覆性的"博物馆"未经 NASA 的正

---

[1]　约翰·张伯伦（1927—2011），美国抽象表现主义雕塑家；福里斯特·迈尔斯，生于1941年，美国雕塑家；大卫·诺夫罗斯，生于1941年，极简主义艺术家；克拉斯·欧登伯格，生于1929年，瑞典公共艺术大师、波普艺术巨匠；罗伯特·劳森伯格（1925—2008），美国波普艺术代表人物；安迪·沃霍尔（1928—1987），美国波普艺术代表人物。

式批准，就被偷运到阿波罗 12 号飞船上并送到了月球。一般认为，它至今仍留在阿波罗 12 号的遗址中。

[风暴洋]

-

只有风暴洋面积大到了可以被称为"洋"而不是"海"。参观完阿波罗 12 号和 14 号着陆点后，你可以前往神秘的莱纳·伽马旋涡。这片 70千米宽的地貌是个明亮的白色斑点，形状类似蝌蚪或者被倒进咖啡的奶油。这里是月球的"51区"[1]，月球磁场在这里出现了奇怪的扰动。人们普遍认为是磁场强度影响了到达月表的辐射量，从而促成了这一地貌的形成。莱纳·伽马旋涡还是月球暂现现象发生最多的区域之一。这种现象是指奇怪的闪光、颜色变化，以及其他短暂的突发事件，在过去的至少一千年里，地球上一直有人观测到这种现象，虽然无法确定哪些事件确实发生过。科学家认为其中一些闪光与从月球熔岩管中逸出的气体及该地区的其他地质活动有关。

离开风暴洋之前，你可以到位于东部的哥白

[1]　51 区是坐落于内华达州的军事基地，是美国政府的最高机密。

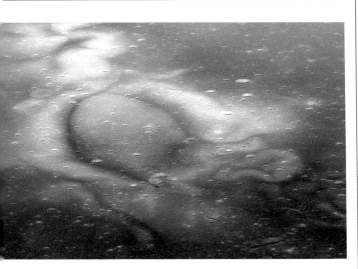

莱纳·伽马神秘的旋涡状图案。
这片色泽及亮暗相间的区域被认为与磁力效应有关。

美国国家航空航天局 / 戈达德太空飞行中心 / 亚利桑那州立大学

尼环形山稍做停留。它的中央峰引人注目，山环复杂且分层。它有 60 千米宽，但并不算深。如果你把哥白尼环形山看成一个直径 23 厘米的馅饼盘，那么它只有 0.85 厘米深。

[阿利斯塔克台地]

-

在风暴洋的北边，是被称为"木斑"的阿利斯塔克台地，它是以古希腊著名的天文学家阿利斯塔克（Aristarchus）

的名字命名的，他是第一个公开提出以太阳为中心的宇宙模型的人。位于阿利斯塔克台地中部的区域有很多石块，这里被称为"眼镜蛇头"，或亮或暗的岩石分布在斜坡上。从眼镜蛇头开始，延伸到台地一侧的是施勒特尔月谷，它由熔岩形成，状如蛇形，长140千米。如果没有参观著名的阿利斯塔克陨石坑，你在这一地区的旅行就称不上圆满，那里的明亮与台地的黑暗形成鲜明对比。陨石坑中富含的钛铁矿物，可以被开采出来并提取用于火箭推进剂的氧气。

[东海]

-

阿利斯塔克台地西部，横跨月球正面和背面的是东海。它就像一个明暗相间的圆环箭靶。这种结构的形成是由于巨大撞击坑中的熔岩冷却并硬化成光滑的表面，那些涟漪是同心的山脉，最中间的是内卢克山脉，然后是外环的外卢克山脉，最后是科迪勒拉山脉。虽然地形崎岖不平，但很多人都会来到东海进行一次朝圣之旅，从科迪勒拉山脉的外环出发，一步步走向内部的靶心。没有大气，也就没有声音，这一点更增强了冥想者的静默体验。

[第谷撞击坑]

-

第谷是月球上最具特色也最拥挤的旅游景点。破碎的月岩排列成放射状，就像明亮的光芒一般排布在这个位于南半球的圆形大坑周围，即便在地球上也很容易看到。这个撞击坑非常受欢迎，以至于 1895 年，作家托马斯·格温·埃尔格（Thomas Gwyn Elger）将其称为"月球的大都市撞击坑"。它是在约 1.9 亿年前经由小行星撞击而形成的，如果你曾在恐龙时代四处漫游，就可以在地球上看到它被击中时月面上明亮的闪光。

在它的北缘住下，你就可以放松下来，欣赏 85 千米宽的撞击坑美景。它的底部非常适合来一场 80 千米的超级马拉松。撞击坑的边缘是深色的，那是因为月岩在陨石的撞击过程中熔化，重新凝固成了一层薄薄的玻璃状物质。你可以在地面上收集一些"月球玻璃"带回家作为纪念品。许多游客会选择沿着它蜿蜒曲折的山坡，徒步 5 千米，从山顶走到山下。如果沿着东边的之字形路线，你可以在大约 1 个小时内下去。

因为重力小，在月球上沿路闲游是一件悠闲的事，你的星际旅程将有一个温和的开端。你不必担心疾风扑面或者撞上昆

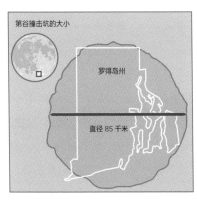

著名的第谷撞击坑的覆盖面积与美国罗得岛州的大小相比的结果。

虫，这两样东西你在月球上都找不到。一旦你到达了底部，就该重新开始攀登了。在第谷中部的山峰上，你可以观赏到撞击坑和边缘地貌的壮阔景象。

[南极]

-

参观完拥挤的第谷后，你可以选择向南旅行到艾特肯盆地。它覆盖了月球背面南部的很大一部分地区，是太阳系中最大的撞击坑之一，峭壁直降十几千米，底部延伸2500多千米。

盆地内有莱布尼茨山脉，山脉的最高峰有8200多米高，仅比珠穆朗玛峰低了几百米。在它陡峭的悬崖上，你可以俯瞰整个南极地区。尽管在低重力环境中，它比地球上的姊妹山更容易征服，但在尝试沿着巨大的山坡登顶之前，你必须接受训练。到了月球上，令攀登高峰的旅行者备受困扰的高原病不再是风险，每个人都需要携带充足的可呼吸空气。

经过艰苦的徒步抵达莱布尼茨山脉的顶峰后，你可能想在极地的某个永久阴影区域内休息一下。这些区域位于某些撞击坑的底部，没有阳光能够照射进去，因其极端寒冷、黑暗和稳定而极富价值。它们被称为"永恒黑暗的撞击坑"。阴影区域可以用来存储推进剂和其他补给。对那些安排了遗体低温保存的人而言，这里是理想的墓穴，因为它能提供永恒的自然冷藏。

在南部旅行时，不要错过沙克尔顿撞击坑。它的底部是一个永久阴影区域，边缘却有许多山峰一直沐浴在阳光中。如果想探索里面更小的撞击坑和山峰，你就必须带上一个跳跃机，因为漫游车无法急降到底。

[月球阿尔卑斯山和雨海]

-

月球上的阿尔卑斯山位于雨海的东北边缘，因其稀有的美而独树一帜。你可以从阿尔卑斯山北部古老的柏拉图撞击坑开始你的旅程，在它的盆地里，还有一些更年轻的小撞击坑。你可以从那里驾驶着月球车一路向南，抵达宏伟的阿尔卑斯山。接下来，你可以参观阿尔卑斯月谷，它绵延穿过山脉，连接着雨海和冷海。

月球阿尔卑斯山的最高峰之一是勃朗峰，这是一个有着法国特色的名字。地球上的勃朗峰位于法国和意大利的交界处，月球上的勃朗峰则位于阿尔卑斯月谷的西端以南。它的顶峰比周围环境高出 3800 多米。勃朗峰的山坡并不陡峭，但是要想登顶，还是需要一个地球日的漫长攀爬。因为太阳每次升起 14 个地球日，你应该能够在月球日落之前抵达。从勃朗峰出发，我们会推荐一个向西的短途旅行，目的地是皮顿山——一座位于雨海平原的山峰，虽然不大，却很显眼。你在那里练习过攀登之后，就要向南到亚平宁山脉和月球上的最高峰——惠更斯山。这座山峰拔地而起，高 5500 米，在这里，你可以磨炼月球登山技艺。

有何好玩 | ACTIVITIES

[体验月尘的"欢乐"]

-

月尘也许听起来浪漫，但它就像一条流浪狗——你走到哪儿它就跟到哪儿，绝不肯放过你。这种被称为月土的微尘覆盖月球表面大部分区域，有些地方深达 12 米。探访月球期间，你会深入地了解月尘。它们无孔不入。当你一再扫地，努力保持清洁却徒劳无功时，记得淡定一点。别忘了：你是在月球上扫地哦。月尘被扬起来后会慢慢地落下，就像由灰尘团做成的雪花。

月尘非常有用。你可以利用太阳或者微波的能量加热它，制造月球混凝土，这个过程叫作"烧结"。烧结后的月尘可以被用来修建道路和建筑物。很快你就会注意到，色调考究的月球灰无处不在，就像是沥青的颜色。和地球上古老而普通的混凝土一样，它能非常有效地阻挡太阳辐射，而这正是月球生存所必需的。

地球上的月球舞步

| 播放一首迈克尔·杰克逊的音乐，双脚同时开始运动。 | 抬起左脚脚跟，将身体重量压在脚趾上。 | 右脚向后滑动，保持脚掌平贴地面。 | 抬起右脚脚跟，左脚后移。 | 双脚不断轮换，重复前述动作。 |

真正的月球漫步

| 非常轻地抬起一条腿，然后迈出一大步。 | 抬起另一条腿，动作幅度不要太大。两条腿交替前行。 | 要想行动得快一点，可以跃得高一点，但是这样更容易失控。 | 需要停止或者转向时，后仰并用力踩下一只脚，以便产生足够的摩擦力，止住向前的运动。 |

[漫步月球]

-

在月球上行走就像是在水下蹦床上行走。你至少需要10分钟才能掌握基本技巧，但是要想克服在地球上培养出来的直觉并掌握月球运动，你可能需要几年的时间。在地球上行走时，我们会把重心放在前腿上。如果你在月球上也是这样，你会发现自己走得很慢，效率很低，而且不稳定。因

太空球——月球的全球性运动。

为你的肌肉力量在月球上更有效能，你不需要怎么弯腿就能走路。你很容易使过了劲，而低重力会使你向上飞去，无法停止或者控制自己的运动。

一种颇受欢迎的方式是两腿交替在前，步子大一些，就像在进行慢速的越野滑雪，这种方法被尼尔·阿姆斯特朗称为"大步慢跑"。另一种方式是步子小一些，一条腿始终在前，另一条腿小步挪动。

[玩太空球]

-

在月球的低重力环境下锻炼是一项非常刺激的体验，但一旦你习惯了，它能有效防止你的骨骼和肌肉变得脆弱。预先警告：虽然你会觉得自己强大如超人一般，但是如果没有经过适当的练习，你的身体很有可能出现严重损伤。

太空球源自经典的棒球运动，是其令人愉悦的低重力版本。你玩的时候，会发现一些关键的差异：

· 因为这种运动在真空中进行，曲球、滑球和蝴蝶球等依赖气压实现的球路是不可能出现的。

· 被施以同样的力量时，一个普通棒球在月球上的飞行距离可达地球上的 30 倍以上。

· 太空球场比普通棒球场大，而且比赛会很危险，因为球飞得很快（没有空气就意味着没有空气阻力）。这里不允许本垒打，界外球由大网回收。

· 球员击球后很难跑起来，但是一旦跑起来，就会很难停下，因此高质量的防滑钉必不可少。

·太空球服需要比普通宇航服更坚韧，才能承受意外的撞击。

[探索熔岩管]

-

洞穴爱好者会热衷于探索月球的地下熔岩管，那里是流动熔岩形成的古老隧道。它们可以阻挡太阳的辐射，因此成了住宅和建筑的理想天然脚手架。虽然你不必担心遇到热熔岩，但熔岩管其实并不好对付，里面的地形高低起伏。你需要一个装着长腿而不是轮子的漫游车才能在石质地面上行驶。如果你决定探索某个未知的管道，在冒险进入之前一定要开展一次地质调查，确保它是稳定的。在极少数情况下，熔岩管内部可能还封存着早期的月球大气，气体有可能爆发式地释放，将你掀翻在地。月球上已知最大的洞穴位于澄海。

[在月球背面观星]

-

在月球上长达两周的黑夜里，你将拥有一览无余的观星体验。月球（以及我们太阳系中的其他所有地方）足够接近地球，你仍然可以辨认出星座。从地球上看去，群星是闪烁的，这是因为星光穿过大气层时会受到轻微的偏折，而月球上没有大气，你在那里看到的星星不会闪烁。南半球的观察者可以看到星星绕着月球的南极星——金鱼四——旋转。一定要选择带有防反射涂层的头盔面板，它将有助于减少月面、车辆或者你的宇航服造成的漫反射。

月球背面是开展射电天文学观测的理想场所，这一学科会利用波长非常长的电磁波帮助天文学家揭示天体的本来面

乔尔丹诺·布鲁诺撞击坑是月球上适合游历的众多撞击坑之一。

美国国家航空航天局 / 戈达德太空飞行中心 / 亚利桑那州立大学

目。木星的光环不如土星的壮观，但它在无线电波段中却比在可见光波段中更为明显。射电望远镜也对来自遥远星系的光很敏感，在到达你这里之前，那些光已经遨游了数十亿年。射电波与微波炉和收音机所用的波是一回事，不过它们来自遥远宇宙中的恒星和气体，不是你家中的小盒子。月球表面的小撞击坑为大批用来探测射电波的碟形设备提供了完美的家园。月球背面不会受到地球大气层以及数十亿居民电子噪声的干扰，这一点很重要，因为仅仅是附近的一部手机就可以淹没来自亿万星河的微弱信号。当你参观月球背面时，可以在乔尔丹诺·布鲁诺撞击坑停留一下，这个宽22千米的撞击坑山壁陡峭，你也许想试试踩着滑板下山。

［参观月球矿山］

-

水对于维持月球上的生命以及制造火箭推进剂都是至关重要的。戴上安全帽，探索一下月球上的地下工业。月球岩石中富含斜长石和斜长岩，这些矿物可以被提取出来炼铝。钛铁矿可用于提取钛和铁，其中的硅和氧可以制取出来用于材料工程、制造空气及火箭推进剂。最有价值的自然资源之一是氦-3，它是聚变反应的关键原料，在地球上极为罕见，但在月球上非常丰富。月球背面以氦-3的大储量而闻名，来自太阳风的粒子流将这些高浓度的氦-3埋藏在了这里的月尘中。

[附近有什么]

-

观赏过月球的风景后，你可以返回地球或者继续前往其他行星。在月球轨道之外有一个很好的小避难所叫作地月L2，这是另一个拉格朗日点。你也许以为一颗离地球比离月球更远的卫星运行得更慢，但其实在 L2，月球提供了额外的引力，能让卫星沿着月球绕地轨道运行。在这里，你远离地球引力的牵引，可以开始为你下一阶段的旅程做准备了。

Outrun the Sun
MERCURY

目的地：水星
DESTINATION-MERCURY

如果你在寻求一个阳光普照的假期，没有什么目的地比水星更合适的了。只要参观过一次这颗没有卫星的闷热行星——这颗离太阳最近的大石头，你就会在未来的岁月里对它念念不忘。对于普通的度假者来说，这颗行星看起来很像月球——到处都是撞击坑，几乎没有空气，仅比月球宽800千米，重力是其两倍。但是如果你到水星游历一番，就会发现这里的情况是不同的。水星表面不断经受着剧烈温度波动带来的炙烤与冷却，骄阳酷热如火，但太阳落山后，寒冷就开始了。

水星强烈吸引着那些无畏的太阳崇拜者，那些人不惧怕随之而来的因暴露而死亡的风险。无论你是敢于和表面危险的日间气候戏耍，还是喜欢缩进看不到太阳的地下栖息地里享受宁静凉爽，你的水星之旅都将充满令人愉悦的矛盾。这颗最热的行星上有很多阴凉处，两极甚至还有水冰。在附近的太阳提供的无限太阳能的帮助下，你有一半的机会能在水星假期后活着回来。不过，只有最勇敢、最坚定的冒险家才会决定赌一把。如果你是那种喜欢炫耀的人，水星之旅绝对值得你好好吹嘘一番。记住，别管你在那里做了些什么，在水星度假中活下来的成就本身就很能说明问题。

速览

AT A GLANCE

直径：地球的 33%

质量：地球的 6%

颜色：灰色，并有对比鲜明的阴影

绕太阳运行速度：大约每小时 17.24 万千米

引力：一个 60 千克的人所受的重力相当于地球上的 23 千克重力

空气成分：几乎谈不上什么空气，只有极少量的氢气、氦气和氧气

构成：岩石

光环：无

卫星：无

温度（最高、最低、平均）：427 摄氏度、零下 179 摄氏度、167 摄氏度

一日长度：4222 小时 36 分钟

一年长度：88 个地球日

与太阳的平均距离：0.58 亿千米

与地球的距离：7725 万 ~ 2.22 亿千米

旅行时间：147 日可飞越

向地球发送信号的时间：4 ~ 12 分钟

季节：无

天气：无

日照：相当于地球上的 5 ~ 10 倍

独特景观：双日落、幽灵撞击坑、波纹状山脊、空洞、火山、冰

适宜：太阳崇拜者，地下生活

水星是冰与火之地。正午时分，照在它崎岖表面上的阳光强度差不多是地球上最炎热的沙漠中最炎热的日子里的阳光强度的 7 倍。然而日落之后，这里的温度会变得比海王星上还低，而且水星上有些地方在几十亿年中都没有享受过阳光。这些阴暗的地方位于水星遥远极地的深坑底部，保护着冰冻的水不受酷热阳光的照射。

如果你应付得了表面上的热量，你会体验到昼夜之间的极大温差。在黎明时，水星的温度是凉爽的零下 179 摄氏度。随着太阳升高，地面开始变暖，最终达到 427 摄氏度。因为没有大气传递热量，阳光会直接烘烤着你，如果你在中午时出去，炽热的地面也会向上散发热量。晚上，当你能够探访水星表面时，你需要一件能够加热且隔热的宇航服，防止你把宝贵的热量都辐射出去。一定要穿隔热靴，否则你的脚会被冻成冰疙瘩。

水星上一天很长，一年却很短。比起地球，它的绕日速度更快，而且轨道也更短，因此一年只有 88 个地球日。太阳在它近侧和远侧之间不均衡的拉力减缓了它的自转，因此，水星自转一圈需要 59 个地球日。但是水星的太阳日——太阳两次出现在天空中同一位置的时间间隔——等于 176 个地球日，相当于自转三周或是两个水星年。这意味着水星上的太阳日比水星年长。

我们所知的春夏秋冬在这颗异星上是闻所未闻的。地球自转轴的倾斜促成了季节的形成，但是水星的自转轴并不倾斜，因此它的极点从不会靠近或者远离太阳。地球上富有特色的四季更迭被极热和极冷的二元环境取代。

你在外面游逛时不必担心暴风雨。这颗行星上没有真正的风。唯一的微风是来自太阳的高能粒子持续不断的流动，即太阳风。

何日启程 | WHEN TO GO

隆冬时节，当你受够了身上裹了一层又一层的毯子，也受够了铲不尽的积雪时，考虑一下水星上那些骄阳炙烤下积满尘土的撞击坑吧。如果你的生活需要一点阳光，水星可以满足你。在那里，仅需 24 个小时，你受到的日晒就相当于地球上整整一周内的日晒。

然而，日照过度这样的事情也是有的，在水星上就很容易发生。太阳有它自己的风暴模式，每隔 11 年，它就会变得活跃并发射高能耀斑。在地球上，这种太阳天气与我们的磁场相互作用，会导致电子设备的损坏。在水星上，一场太阳风暴也会突然结束你的假期，因此去之前记得查看一下太空天气报告。

水星有一条椭圆形轨道，它的炎热季节出现在它离太阳最近的时候。如果你足够明智，一定要记得避开这个时段。如果你在水星离太阳最远的时候游览，白天的最高温度便不会是427摄氏度的极值，而是只有277摄氏度。你也会离任何突如其来的太阳风暴更远一些。

水星上的一年很短，因此没有必要把你的旅行时间确定为一年中的某个特定时间点。在短短6个地球月的时间里，你就可以在水星上体验到强烈的冷热环境对比，这一点非常适合那些冷热通吃的人。

漫漫长路 | GETTING THERE

水星的运行速度很快，因此到达那里远比你想象中棘手。船票可能很贵，但太阳系中没有比那里更加阳光灿烂的地方了。它距离地球至少有7700多万千米，而且因为它的绕日速度（约每小时17万千米）比地球的绕日速度快大约6.4万千米/时，因此追赶上水星且不被意外拉进太阳所需的燃料，要比飞出太阳系所需的燃料更多。一些更省燃料的飞行路线可能需要长达11年之久，在此期间，你的飞船要数次借力于金星和地球的引力，并最终进入绕水星运行的轨道。不过，如果你愿意呼啸而过不停留，也可以在147天内就到达那里。

水星上有丰富的太阳能，这一点很招那些具有生态意识的度假者喜欢，因为太阳能是一种可再生能源——至少在未来几十亿年内，太阳消亡之前都是如此。在靠近太阳的过程中，你需要时刻注意自己的太阳能板所产生的电力，以防电子器件被烧熟。如果你得到的能量太多，可以偏转它们的方向，让它们不再对着太阳。

灿烂的阳光虽然美妙，太阳引力却会让导航员烦恼，因为飞船总是容易偏向太阳，就像一辆需要时刻进行车轮校正的汽车。

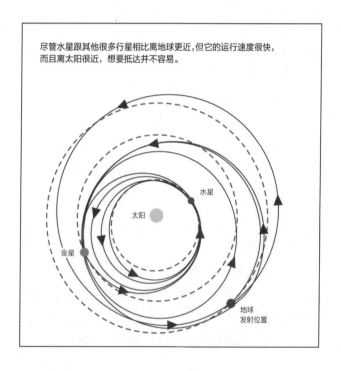

尽管水星跟其他很多行星相比离地球更近，但它的运行速度很快，而且离太阳很近，想要抵达并不容易。

到达之后 | WHEN YOU ARRIVE

当你的飞船接近水星时，你可能会疑心自己拜访的其实是月球。然而等到着陆后，你会发现水星岩石在色调和质地上并不同于月球。你会注意到对比度——眼睛适应了天空的黑暗后，你会发现明亮的东西看起来更亮，阴暗的东西看起来更暗。

水星表面含有石墨，因此看起来比月球黑，呈现出铅笔芯般的色调。虽然拥有一个巨大的铁质核心，它的表面上却很少有铁。水星表面的颜色主要是石墨灰，略带红棕色，有些区域略微泛蓝。熔岩通道看上去像是干涸河流和自身地貌不断改变的神秘空洞，这些都暗示着这是一颗变化中的行星，仍然有着活跃的地质活动。

水星地貌的多样性会给你留下深刻的印象。它见识过猛烈的撞击、火山爆发和造成其表面褶皱的核心收缩，它拥有巨大的悬崖、双环陨石坑、沟渠、神秘的极热点和极寒点。

虽然来自太空的撞击决定了水星表面的大部分形态，但这颗行星也以其拥有的强大构造力塑造着自己的面目，或是裂开形成山谷，或是通过挤压形成被称为叶状陡崖或褶皱脊的漫长蜿蜒山崖，这些陡崖、峭壁能够在水星表面延伸数百千米。

你需要在晚上降落，然后在太阳升起之前，从铺满尘土的表面降到某个地下城市。即使是在地下，如果没有高反射屋顶，白天的温度也会高得不适于生存。而这些高反射屋顶，可以在大约 10 年的时间里一直反射足量的阳光，使得地表之下冷却到可生存的温度。

如果渴望看到白天的天空，你可以安全地待在地下深处，通过太阳观测镜观察。你会看到一片星星点点的漆黑背景。虽然严格来说，水星上有一些几不可察的大气，但是这

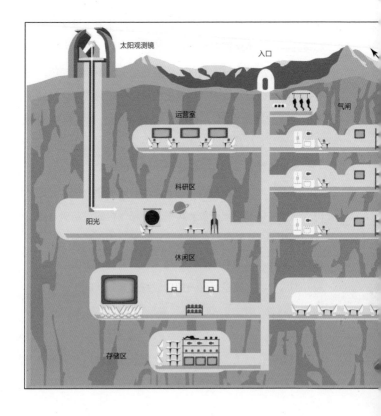

点大气不足以构成天空，也不足以让星星闪烁。继续寻找，你会看到异常灿烂的太阳，与星星共享黑暗的天空。

何以代步 | GETTING AROUND

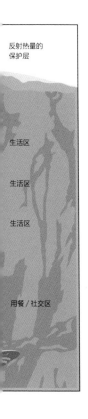

反射热量的保护层

生活区

生活区

生活区

用餐/社交区

水星不是太阳系中最热的行星（这个荣耀要归属于金星），但是也已经热到让生活中的某些方面成了麻烦事。你需要仔细规划地表行程，因为每时每刻，这颗行星上都有一半区域遭受着不经大气遮挡的太阳辐射的粗放攻击，也正因如此，水星并不适于生存。

有些人喜欢待在两极某些撞击坑相对稳定而又寒冷舒适的永久黑暗中。那些在极地以外冒险的人必须适应一次性在地下待好几个地球月的生活，因为严酷的高温会让人无法在地面上活动。日出带给地下居民的是一种恐惧感，他们明白，如果在错误的时间留在了外面，就会被烤死。

你可以租用漫游车或者跳跃机进行区域夜间旅行。对于更长的距离，你可以预订一个行星际火箭的座位。一次发射延迟可能会导致意外的长时间停留，因为你需要等待地面旅行恢复。要有耐心。在你迫不得已的地下归隐期间，你可以研究一些著名艺术家的作品，这颗行星上的很多地标都是以他们的名字命名的。你可以花两个月的时间钻研契诃夫的信件，看默片明星碧莉·伯克（Billie Burke）的全套电影，或者研究日本茶道大师千利休的技艺。

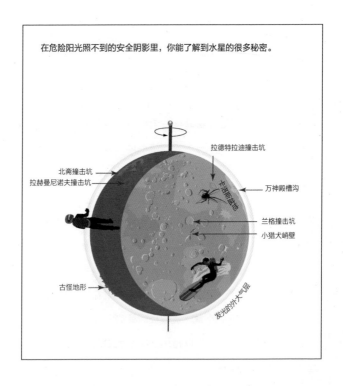

在危险阳光照不到的安全阴影里，你能了解到水星的很多秘密。

北斋撞击坑
拉赫曼尼诺夫撞击坑
拉德特拉迪撞击坑
卡洛里斯盆地
万神殿槽沟
兰格撞击坑
小猎犬峭壁
古怪地形
发光的外大气层

［北极］

-

从轨道上接近水星北极时，你会看到令人叹为观止的100千米宽的北斋撞击坑。这个撞击坑是以18世纪日本艺术家葛饰北斋的名字命名的，木版画《神奈川冲浪里》是这位艺术家得以扬名世界的代表作。因小行星猛烈撞击而迸发出去的岩石形成长辐射状的纹路，从撞击坑中心向外延伸数千千米。它覆盖了水星北半球的一大半，是太阳系中最大的几条辐射纹。

水星北极全年保持着凉爽的零下93摄氏度，这与地球上记录到的最冷温度很接近。水星的两极都有水冰存在，它们形成于从来照不到阳光的阴暗撞击坑里。北极的冰层厚达一二十米，比地球上的南极冰盖小1万倍，不过，有总比没有好！

一直藏在阴影中的撞击坑拥有稳定的寒冷环境，科学家们期盼着能够挖掘已有亿万年历史的冰芯，以此研究太阳系的撞击史。他们想要验证是不是一颗充满冰的彗星造就了北斋撞击坑，并在撞击过程中将被震碎的冰留在了极地。

攀冰爱好者可以在这个地区的撞击坑边缘尝试攀爬。虽然也有一些斜度适合的坡，但低温对滑雪运动构成了威胁，这里的冰被冻得像岩石一样坚硬。

以 20 世纪早期俄罗斯作曲家、《彼得与狼》的曲作者谢尔盖·普罗科菲耶夫名字命名的普罗科菲耶夫撞击坑，是北极地区最大的撞击坑。这个洼地里有大量的冰，在科学家看来，这些冰是在撞击坑形成很久之后才落到地面上的。

如果你还有几周的时间，你可以去北极点附近的撞击坑群南边探索一下北极广袤的火山平原。站在成百上千千米宽的熔岩场中央，你会感觉到前所未有的渺小。几十亿年前，不可思议的猛烈喷发让炽热的液体覆盖了这一地区，并最终形成了今天的地貌。

明亮的辐射状线条会引领着你来到水星上震撼人心的北斋撞击坑（位于图片边缘位置）。

美国国家航空航天局／约翰·霍普金斯大学应用实验室／华盛顿卡内基研究所

[卡洛斯盆地]

-

等你在北极凉快够了，就可以到卡洛斯盆地 [1] 让身体暖一暖了。行程很短，在途中你可以从空中欣赏到 5 条以古代废城命名的宽广山谷：卡霍基亚、卡拉尔、帕埃斯图姆、提姆加德和吴哥。继续向南时，仔细观察东方，你可能会瞥见奥斯肯森火山口。它得名于美国印第安作家约翰·弥尔顿·奥斯肯森（John Milton Oskison），或许很多作家都希望在这座 120 千米宽的撞击坑中央的群峰间过上宁静的日子。

你可以在阿杰特撞击坑中心的南面降落。这个地表颜色深重、宽达 100 千米的大坑得名于法国摄影师尤金·阿杰特（Eugène Atget），阿杰特以其对 19 世纪晚期及 20 世纪早期巴黎的广泛记录而闻名。从阿杰特撞击坑出发，你可以探索卡洛斯盆地巨大而平滑的熔岩平原。这是太阳系中最大的撞击坑之一，宽度超过 1500 千米，面积和美国阿拉斯加州差不多大，一圈超过 3000 米高的山脉环绕在其周围。在主要的山环之外，还有绵延数千米的崎岖不平的丘陵平原和因巨大冲击而被抛出的陆地排成的线条。专家认为，在数十亿年前凿出这个盆地的巨大太空岩石的直径至少有 100 千米。猛烈的撞击造成了水星另一面的隆起，这一对跖点被称为"古怪地形"。形成平原的熔岩流覆盖了一个巨大的区域，而且和地球上火山的喷发物相比，它们的黏性也要小得多。

---

[1] 卡洛斯一词源自拉丁文"calor"，意为"热"。

在卡洛斯盆地中有很多值得探索的地方，包括以美国哥特风作家埃德加·爱伦·坡（Edgar Allan Poe）和以名作《呐喊》（The Scream）著称的挪威画家爱德华·蒙克（Edvard Munch）的名字命名的撞击坑。不过最吸引人的是万神殿槽沟，因为样子像个吓人的爬虫，这一系列沟堑得到了"蜘蛛"的诨名。该构造的中央是一个40千米宽的撞击坑，周围有一百多条被称为地堑的狭窄峡谷向外延伸。每一条地堑宽不过十几千米，有一些会延伸超过300千米。没有人确切地知道这些峡谷是如何形成的，以及以万神殿的建筑师阿波罗多罗斯（Apollodorus）的名字命名的中央撞击坑是否与此有关。沿着峡谷徒步旅行时，你可以寻找一下能够揭示该地区神秘过往的线索。这个构造看起来与水星上的其他任何东西都不一样，而且和人们对行星地质学的传统理解不符。

你可以花一天、一周或一个月的时间探索那些槽沟。对于倾向于走简单路线的人来说，你可以在阿杰特撞击坑和中央的阿波罗多罗斯撞击坑之间乘坐穿梭机。不过要记住，太阳出来的时候，所有的穿梭机服务和地表活动都会停止，你可不要在晨曦将至时被困在一条峡谷里。

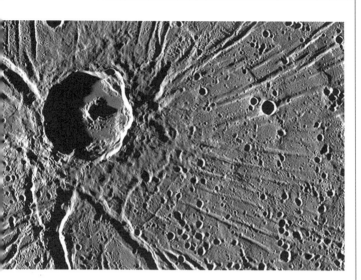

探访卡洛斯盆地时，你可以看到阿波罗多罗斯撞击坑和被称为"蜘蛛"的万神殿槽沟。

美国国家航空航天局 / 约翰·霍普金斯大学应用实验室 / 华盛顿卡内基研究所

当太阳终于再次落山后，你可以继续探索卡洛斯，参观以美国摄影师伊莫金·坎宁安（Imogen Cunningham）的名字命名的坎宁安撞击坑。水星的高对比度光照提供了一个理想的背景，供你完善黑白摄影技巧。在卡洛斯盆地西侧，你可以在凯鲁亚克撞击坑中停留一夜。这个110千米宽的洼地是这颗星球上另类人群的王国，你可以去撞击坑的中心朝圣，当以地球为中心的宇宙观崩落时，新的诗意会奔涌而出。

[拉德特拉迪盆地的空洞]

-

在凯鲁亚克撞击坑以西 240 千米的地方有个拉德特拉迪盆地。你将站在这个 260 千米宽的年轻撞击坑（只有 10 亿岁）中心，注意到远处的两条山脊。一条在 63 千米以外，另一条在 130 千米以外。它们是这个撞击坑的"双环"。这个盆地也有类似于万神殿槽沟的地堑，它们可能是在"延伸"过程中，或者在水星表面的大规模伸展和收缩过程中形成的。这些浅浅的山谷不是向外辐射，而是排列成同心圆，仿佛是从盆地中心旁 10 千米处的一个点激起的涟漪。

这个因博茨瓦纳剧作家、诗人里提尔·迪桑·拉德特拉迪（Leetile Disang Raditladi）得名的撞击坑最引人入胜的谜团是它的硫黄空洞。空洞中的图案是最近形成的，这表明水星仍在变化，仍存在着类似温泉的活跃地质活动。与水星其余部分灰蒙蒙的锈色相比，它们能够反光，看起来色泽饱满。人们在水星表面的其他区域也发现了这种模样有趣的凹陷，它们可能是因为地面中的物质被热量蒸发而形成的。一些物质在夜晚相当稳定，但是人们认为它们到了白天就会直接变成气体，这个过程叫作升华。

空洞很容易攀登，深度从 9 米到 10 层楼的高度不等。它们的长度可达 1000 多米。站在里面时，你会觉得自己身处一个小峡谷中，只不过洞壁更亮。在空洞中穿行时要小心，岩石上满是洞，而且在它逐渐变宽时，可能会发生意外崩塌。有经验的游客可能会注意到，相比其他那些亿万年碰撞造就的古老地区，踏上这片年轻的土地能感受到不同的质地或嘎吱声。其他可以观察空洞的好地方包括凯尔泰斯撞击坑和世阿弥撞击坑。

[小猎犬峭壁]

-

在拉德特拉迪盆地的南面，你可以沿着小猎犬峭壁行进。这是一条约 600 千米长、1.5 千米高的悬崖，横穿好几个撞击坑。在水星的早期历史中，当整颗行星随着其熔融铁核的冷却而收缩时，大地上形成了数十道裂缝。这些悬崖以著名探险家的船只名字命名。小猎犬峭壁的名字来自"小猎犬"号，查尔斯·达尔文（Charles Darwin）正是乘着这艘船前往南美洲和澳大利亚进行大范围科学观测的。位于峭壁西北部的是兰格撞击坑，它得名于早期美国摄影师，以 1936 年的摄影作品《移民母亲》（*Migrant Mother*）而闻名于世的多萝西娅·兰格（Dorothea Lange）。

[拉赫曼尼诺夫盆地]

-

直径 290 千米的双环形撞击坑拉赫曼尼诺夫是水星上最年轻的撞击坑之一。130 千米宽的内环里面是平滑的红色平原，人们普遍认为这是火山熔岩流的遗迹。环的南部似乎也被熔岩流淹没过。幸运的话，你能在群星之下赶上一场宁静的拉赫曼尼诺夫夜间音乐会。管弦乐队可以演奏，但是因为没有空气作为介质，乐器并不会发出声音——你可以把这看作是水星对约翰·凯奇（John Cage）的致敬。[1]

有何好玩 | ACTIVITIES

［两个生日］

-

在最好的假期中，时间似乎会停止，你希望完美的一天能够持续到永远。在水星上度假可能会让你的这个梦想最接近于现实。在水星长达 4224 个小时（176 个地球日）的太阳日中，你可以安排很多活动。这也意味着你可以一天过两次生日，而且能够轻而易举地活到 300 岁——只要你是在用水星年计算。

［观看两次日落］

-

拜访水星的一个最大原因是可以见证太阳在黑暗天空中的奇特行为。当然了，除非你有一个死亡心愿，否则你不会

---

[1]　美国先锋音乐大师约翰·凯奇以一曲《4 分 33 秒》闻名于世。这首曲子全部由休止符构成，在长达 4 分 33 秒的时间里，约翰·凯奇静坐在钢琴前，一动不动。

亲眼看到太阳在天空中舞蹈。你将利用地下望远镜安然无虞地观看，并且为太阳的杂技喝彩。从这个独特的有利位置上，你可以看到太阳不紧不慢地从头顶经过。每天都有一个特殊的时刻，它好像会暂时停住脚步并逆向而行，然后再继续长达几个地球月的日落之旅。如果你位于水星上的某些特定位置，当它经过近日点，角速度暂时比自转速度快时，太阳甚至可能会落下去再升上来。利用这一时刻反思过往，想想如果你能让时光倒流，你会做些什么，放下旧日冤仇，纠正你在上一个水星早晨（上一年）里犯下的错误。

当太阳在天空中向后移动时，你可能会注意到它硕大无朋的样子。放心，这不是日晒过度影响了你的判断。因为水星接近太阳时，太阳看起来确实比地球上大。水星的扁长椭圆形轨道增强了这种效应，太阳仿佛会在一年的周期内膨

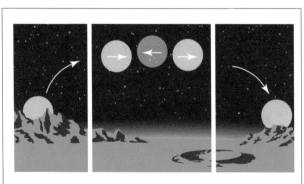

太阳系中最迷人的自然现象之一是太阳在水星天空中的逆行。这种怪异的现象是迅疾的公转速度和迟缓的自转速度共同造成的。

胀、收缩。在水星距离太阳只有 4600 万千米的近日点时，太阳看起来是地球上的 3 倍大，而当水星位于离太阳 6981 万千米的远日点时，太阳看起来只有地球上的两倍大。

[驾驭太阳风]

-

将你的太阳帆船上的反射帆扬起来。太阳发射出来的光子会从镜子一般明亮的表面上反弹，给你的飞船一个微小的推力。这种名为"辐射压"的复合效应能够让你在太阳系中遨游。你可能不会急剧加速，但是随着时间的推移，你将慢慢地获得速度，渐渐快到足以飞过一个天文单位[1]。不过，如果遭遇了太阳耀斑，你就必须关紧舱口。

[追逐不落的夕阳]

-

参观水星的主要原因是有机会跟着它缓慢移动的晨昏线行走。因为这颗行星旋转得很慢，人们有可能始终走在日出的前面。水星上的晨昏线以每小时 3.54 千米的合理步速移动，而地球上晨昏线的行进速度约为每小时 1600 千米。晨昏线上有着浓重的阴影，这一昼夜之间的安全地带令人惊讶地保持着宜居气候，不过万一被它落下，后果就是致命的。不要直接被阳光照到，否则你将变成又一堆点缀着水星风景

[1]　一个天文单位约为 1.496 亿千米，相当于地球与太阳间的平均距离。

的人体焦炭。不过，极限运动员一定会愿意接受一次性绕整颗行星行走 1.5 万千米的挑战。

[火山沙滑沙]

-

几十亿年前火山喷发留下的细沙非常适于玩沙板和滑沙。低重力为做出这些酷炫动作提供了完美的条件。整颗星球上有几十处这种所谓的火山碎屑堆积，其中一个位于卡洛

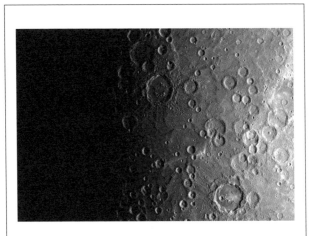

水星上的晨昏线并不是来自未来的机器人[1]，它缓缓移动在亮面和暗面之间。
美国国家航空航天局 / 约翰·霍普金斯大学应用实验室 / 华盛顿卡内基研究所

---

[1] 晨昏线（terminator）一词意为"终结者"，此处暗指电影《终结者》中的金属机器人。

斯盆地西南部，另一个位于柯普兰撞击坑西部。

[领略散逸层的超自然光芒]

-

水星上的大气非常稀薄，散逸层中富含钠元素。夜幕降临时，琥珀色的光辉笼罩着天空，仿佛停车场里的钠蒸气灯。它会让你想起地球上的极光，但它弥漫在整个天空中，接近地平线处最亮。这种光足以令人视物。不过幸亏如此，因为你所有的表面活动都必须在夜晚进行。

[参观幽灵飞船]

-

当人类首个探访水星的航天器水手 10 号在 20 世纪 70 年代耗尽燃料，开始在太空中漫无目的地漂流时，科学家就与它失去了联系。从那时起，没有人收到过它的丝毫信息。水手 10 号的"幽灵"依旧在太阳系中出没，传说它的灵魂一直在召唤水星，跟随着它，仍在试图研究它，可能还收集着数据，并古怪地把数据送入空虚的外太空。你还可以看到另一艘遇难飞船信使号的残骸，它事先就被规划好，于 2015 年 4 月 30 日坠入这颗星球，其撞击在水星表面留下了一个约 16 米宽的坑。

GET YOUR HEAD IN THE CLOUDS
Tensegrity City

目的地：金星
DESTINATION·VENUS

人们说金星是适合情侣的度假地点。只要你坚持待在灼热表面上方的温和气候中，金星便配得上它的英文名维纳斯——罗马神话中代表爱、美与欲望的女神，为你提供放松的氛围，让你乐享没有工作压力的时光。许多度假者是在地球的夜空中感知到一枚亮星的召唤，然后决定去拜访的。这是一个非常适合反思浪漫主义的地方。

金星是我们最近的邻居，经常被称为地球的火热孪生兄弟。它的尺寸与地球大致相同，重力也差不多，平均气温却比地球高出400摄氏度。金星是太阳系中最热的行星，甚至比水星还要热，因此许多天真的游客认为金星上的天气无法忍受，也就不足为奇了。大多数人没有意识到的是，金星的天空是太阳系中最友好的环境之一，而且对于那些采取了适当预防措施的人来说，金星表面上也有足够的消遣活动。

金星上的悬浮城市亲吻着壮美的云霞，飘浮在它的硫酸雾中，你会感觉自己身在天堂。只不过要确保你的空气罐是满的，而且穿了耐酸服。如果你不容易晕机，喜欢欣赏云层且不受高压环境的困扰，你就可以准备与金星相见了。

直径：略小于地球

质量：地球的 81%

颜色：金色与红褐色相间，沐浴在黄色的光线中，点缀着白色的云朵

绕太阳运行速度：大约每小时 12.6 万千米

引力：一位 60 千克的人所受的重力相当于地球上的 54.4 千克重力

空气成分：空气浓度高，包括 96.5% 的二氧化碳、3.5% 的氮气，及少量的二氧化硫、氩气、水蒸气和一氧化碳

构成：岩石

光环：无

卫星：无

温度（最高、最低、平均）：485 摄氏度、465 摄氏度、475 摄氏度

一日长度：2802 小时

一年长度：大约 7.5 个地球月

与太阳的平均距离：1.08 亿千米

与地球的距离：3862 万～ 2.6 亿千米

旅行时间：100 日可飞越

向地球发送信号的时间：2～15 分钟

季节：几不可辨

天气：风缓慢而强劲；偶有火山爆发引起的硫酸雨

日照：在云顶相当于地球上的两倍

独特景观：浮城

适宜：热度追求者，心在云端的人

天气和气候 | WEATHER AND CLIMATE

太阳系中最接近地球气候的地方位于金星表面上方 55 千米处。就像《格列佛游记》中著名的浮城拉普达，这个距离足以让人忘记下面的酷烈环境。这里的天气温和而且完全可控，大概在 30 摄氏度，压力与地球表面相仿。

不过金星表面就是另外一回事了。除非你喜欢过分的炎热，否则金星闷热的大地就是一个噩梦般的地狱。太阳系中最热的行星就是这样的感觉。空气中 96% 的成分是导致地球变暖的温室气体二氧化碳，浓重的烟雾吸住了太多的热量，让温度升到了令万物焦枯的 465 摄氏度。如果大气中有氧气，一张飘散的纸就会自发地燃烧起来。虽然相比于地球，金星离太阳更近，但是如果没有温室效应来保持热量，其表面温度应该是寒冷的零下 13 摄氏度。

金星坚实的大地犹如地狱，这固然不假，但它是在可预测范围内的。有浓密的大气层做缓冲，这里的温度从早到晚，或者在整个金星年中，都不会有太大的起伏。季节可以说是不存在的，因为自转轴倾角不大，太阳的光照大体均匀。金星上的一年仅持续 7.5 个地球月，它自转一周的时间是太阳系中最长的 243 个地球日，这比当地的一年，也就是 225 个地球日还要长，也比相当于地球上 117 天的一个太阳日，即两次日上中天间隔的时间要长。

神奇的是，金星的自转方向只和天王星的自转方向相同，和其他行星的相反。如果你能在表面上透过云层看到太阳，并且在一整个金星日里持续观察（祝你保持清醒），你就会看到太阳是西升东落的。这种奇怪行为的原因是一个谜，不过有可能是很久以前一颗巨大的小行星碰撞的结果。

金星上的古代海洋早已蒸发得一干二净，没有留下丝毫痕迹。如果你突然在金星表面上倒一大堆水，它在蒸发之前

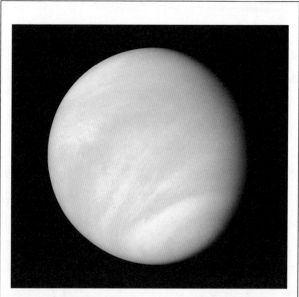

金星云层的真实色彩图像。本图中蕴含的细节要比肉眼能够看到的多一些。

马提亚斯·马尔默（Mattias Malmer）/ 美国国家航空航天局

会像汽水一样冒泡。金星上的高压及富含二氧化碳的大气起到了巨型气泡水机的作用。

迟缓的风一刻不停地在金星表面上滚动着。这股风的力量可能出乎意料地强大，因为浓稠的空气很容易吹翻重量较轻的物体。除却这种惯常的恒定，天气偶尔也会变坏，火山爆发会引发大面积的酸雨，雨点在落到表面之前便会化作蒸气。金星上也有闪电，它激荡在硫酸云团之间，和地球上的闪电差不多。如果你能够看穿阴霾，可以在橙黄色的天空中寻找到怪异的闪光。

何日启程 | WHEN TO GO

只要你只乘坐飞艇待在它温和的高空中，任何时候都是游览金星的好时机。对于渴望进行自我审视的人来说，那里是可靠的避难所。旅程挺长，但也不算太长。你会离开几年——时间长到足以彻底改变你的观点。刚毕业的大学生可以去那里度过空档期，思考自身的存在。生活中若是发生了重大的转变，那里也是个逃离、复原，然后重整旗鼓的理想去处。

记住，你未来的度假地点是一个移动的目标。金星以每小时 12.6 万千米的速度绕着太阳飞行，几乎每小时比地球快 1.9 万千米。它离地球最近的时候是在 3815 万千米之外，你需要加大油门才能赶上它。使用蛮力，也就是靠火箭推力来弥补速度差距，除了需要消耗大量的燃料，还有可能对你的轨道产生意想不到的影响。记住：燃料就是重量，重量就是金钱。

在两颗行星之间旅行的其中一条路径叫作霍曼转移轨道，这是一条连接两个轨道物体的低能耗路径。这个名字来自 20 世纪初发现了它的德国科学家沃尔特·霍曼（Walter Hohmann）。如果你选择了这个飞行计划，你将在一条与两颗行星的路径都有交叉的椭圆形轨道上移动，在大约 5 个月后到达。因为地球和金星都在运动，每 19 个月，你只有一次机会——一个发射窗口[1]——能够沿着霍曼转移轨道飞行。尽量不要把你的航班安排得太靠近发射窗口的末尾，因为如果你的发射被取消了，你必须等一年半才能再试一次。

你可能会认为，从地球出发，需要让你的飞船加速才能赶上金星。然而，火箭科学并不是那么简单。为了匹配金星的轨道路径和速度，你需要背对着地球绕太阳运动的方向

----

[1] 发射窗口指运载火箭适合发射的时间范围。

启动推进器。这将使你的轨道更靠近太阳，你自然也会飞得更快。

到达金星时，一个好消息是它有着浓密的大气，可以作为廉价的制动系统。你可以在大气层顶部滑行减速，不过要多加小心，金星的空气太过稠密，一不小心就会着起火来。

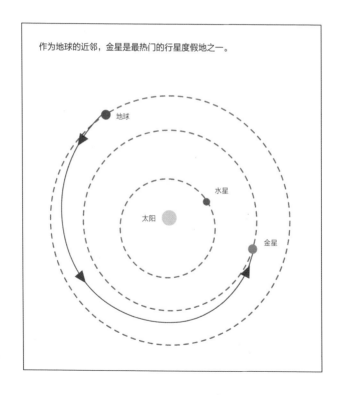

作为地球的近邻，金星是最热门的行星度假地之一。

地球

水星

太阳

金星

长时间待在漆黑的太空里，明亮的金星会让你感到头晕目眩。不过，明亮的不是表面，而是缥缈的金星云顶。在厚厚的云层中，熠熠生辉的空中城市若隐若现。这些安全、豪华的避风港将是你旅行的第一站。

天空看起来熟悉而诱人，但是金星富含二氧化碳的空气很快就会让你窒息。有利的一面是地球上的空气很容易在金星的浓密气海中飘浮，充满可呼吸空气的栖息地悬在空中，就像地球上的氢气球一样。这种名为"张拉整体城市"的空中网格式城市可以和地球上的城市一样大，它是由 20 世纪天才发明家巴克敏斯特·富勒（Buckminster Fuller）首先提出的。它隔绝了周围的空气，内部则充满了类似地球上空的气体，可以使它飘浮在金星的天空中。向窗外看去，你会看到自己身处一层厚厚的蓬松白云中。不要被它们令人愉快的外表欺骗了，许多云团都含有腐蚀性的硫酸。

虽然表面上一天长达 2802 个小时，天空中飘浮的城市却是与云层一起移动的，而云层仅需 100 个小时便可以绕整个星球一周。这意味着你必须适应 50 个小时的白天和 50 个小时的夜晚。当地习俗是以 25 个小时为周期，中间睡一次觉。这样一来，两个睡眠周期在白天，两个睡眠周期在黑夜。一间有着大观云窗和优质遮阳帘的宾馆房间可以帮助你在有太阳的时候入睡。

由于风的影响，你可能会有一阵子站立不稳。你需要计划好你的假期，留足时间适应天空。有些游客会立即适应，有些则会持续恶心一周左右。除了轻微的摇晃，湍流对天空居民来说是一个永久的威胁。就像地球上的风暴警报一样，湍流警报会让你知道是时候找到附近的某个安全庇护所，在里面躲过令人头晕目眩的天气了。

如果你决定探访金星表面，你会发现那里的环境迥然不同。在地面上，金星既是烤箱又是压力锅。其表面上的压力是地球海平面气压的 90 倍，相当于你在洋面以下 900 多米处承受的压力。

不过，你所看到的景象也许值得你克服这些困难。在云海下方深处，金星上弥漫着可爱的橙色光芒。在空气中传播时，蓝光比红光更容易散射，这就是地球上的天空呈现蓝色的原因。而在金星浓密的大气中，散射的蓝光被强有力地吸收了，只留下了橙色的光，让金星的天空永远沐浴在杏黄色中。这番景象会让你想起地球上的日落——只不过因为云层太厚，你根本看不到太阳。

有些人认为低光照条件增强了诡异的氛围。在这个昏暗的场景中，你可能会看到光线扭曲后的景象。就像沙漠里的海市蜃楼一样，来自天空或者远处物体的光线可能会发生扭曲。这让导航成了一件麻烦事，因为你不能指望用自己的眼睛获得周围环境的准确信息。不要试图去观察物体有多远，而是要用地图或者卫星导航来为自己定位。除了扭曲的景观，金星上还有奇怪的声音。在浓密潮湿的大气中，所有的声音听起来都比平常深邃得多，它们低沉浑厚，扭曲成一种怪异的轰鸣。

何以代步 | GETTING AROUND

　　游历金星云层有好几种方式。空气很厚，很适合滑翔。轻型金星飞机与地球上的飞机有着惊人的相似之处，它们利用金星离太阳较近的优势，仅利用太阳能就可以运行。只要你保持在日照强度相当于地球上两倍的云顶上方，就会有足够的动力驱动轻型飞行器。确保不要一不小心钻进云里或者往黑暗面飞得太远，否则你会失去动力，一头栽向皮焦肉绽的死亡。

　　如果张拉整体城市的人群让你感到焦虑，想要逃离，那就预订一艘私人飞艇，然后隐遁到浓云中去吧。飞艇只能容纳一人；如果你觉得舒适，也可以塞进去两人。飞艇从城市发射，你可以乘气流在云中漫游。小心不要被喷气流吹走。

在崎岖的金星大地上巡游时，你需要乘坐坚固的交通工具。

那些渴望近距离观察下方传说中的熔岩平原的人，请注意，飞到地面上就相当于在地球的海洋里下潜 900 多米，只不过温度是后者的 30 倍。在这种情况下，你需要一部看起来像潜艇但是有轮子的载具。在你巡游荒野的过程中，这个加固休闲车将是你的大本营。你需要一套能够禁得住魔鬼天气的空调系统。

[伊丝塔地]

-

伊丝塔得名于巴比伦神话中的爱之女神，这是一座被陆地包围的岛屿。与地球上的大陆相比，伊丝塔地比澳大利亚大一点。在它的东部耸立着麦克斯韦山脉，其中一些山峰比珠穆朗玛峰还要高。它上面还坐落着萨卡加维亚和克利奥帕特拉两座火山。伊丝塔地中部是拉克什米高原（Lakshmi Planum），高度与地球上的青藏高原差不多。在

在空中及地面上，你都会有很多景色可看、很多事情可做。

阿尔忒弥斯鳞状地
阿伊罗鳞状地
阿特拉区
诺克米斯山
拉达
阿尔法区
"蜱虫"
忒亚山
雷亚山
金星9号
伊丝塔
拉克什米高原
克利奥帕特拉火山
麦克斯韦山脉

巴比伦神话中，伊丝塔来到冥界，冥界女神让她在每一扇门前都留下一件衣服。如果你敢去探索伊丝塔，记得穿好你的衣服。如果不穿宇航服，你会在几次呼吸后失去知觉，不久就会窒息。

[阿佛洛狄忒]

-

这块高地与非洲一样大，边缘挨着赤道，延伸到金星的南半球。你可以探访一下奥瓦达区（Ovda Regio）和忒提斯区（Thetis Regio）的两座高原。强烈的地震和地质构造压力导致大地产生了错位，在地面上形成了巨大的瓦状变形。山脊和悬崖纵横交错，构成了奇特的景观。

[阿尔法区]

-

阿尔法区以东的薄饼状穹丘是 7 个互有交叠的圆形山丘，看起来就像巨大的煎饼。它们又圆又平又大，表面有裂纹。薄饼状穹丘是一种类型独特的火山，在地球上并没有被发现。人们认为，它们是浓稠的熔岩从表面喷发、冷却并排出气体时形成的。要特别注意直径约 30 千米的蜱虫火山。从上方看下去，它周围的山脊和山谷就像蜱虫的腿。

[贝塔区]

-

这片高地上有两座大山，忒亚山（Theia Mons）和雷亚山（Rhea Mons）。尽管看起来一模一样，但忒亚是一座火山，雷亚不是。忒亚是一座盾状火山，拥有宽阔舒缓的斜坡，就像地球上的莫纳克亚山，由一层又一层的岩浆历经多年堆积而成。雷亚山及贝塔区以南，是宽 150 ～ 250 千米、最深处有 5 千米的德瓦纳深谷（Devana Chasma）。

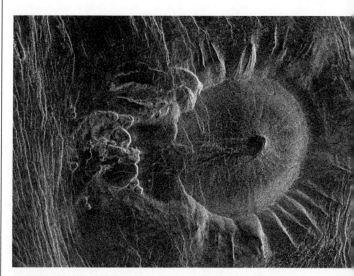

探访一下金星上因其独特形状而得名的"蜱虫"火山，这一火山约有 30 千米宽。

美国国家航空航天局

[拉达地]

-

在海伦平原、拉维尼亚平原和爱诺平原的围拱中，这块周围没有海洋的高地上有一些可爱的风景。你可以探访一下那些幽深的裂谷，在边缘凝望深渊。一定要参观奎特扎尔皮特拉特尔冕状物，这是一个由火山运动及地质构造运动形成的环。

[早期探测着陆点]

-

参观一下死亡机器人的残骸。1961 年，苏联为了研究，向金星发送了探测器。但没有一台能够在严苛的条件下长久生存，而第一批没等发出任何有用的数据就被毁掉了。工程师们通过代价高昂的试错过程学会了如何建造可以忍受热空气的探测器。到了第 8 次尝试时，探测器可以在死亡之前支撑 1 个小时。金星 9 号和金星 10 号为我们提供了第一批表面照片。NASA 的先驱者金星 2 号于 1978 年发射，在探测金星大气层后从其表面进行了短暂的信息传送。许多人喜欢参观失事现场，但是你要为即将看到的机器人残骸做好准备。

最早的金星表面照片之一。

俄罗斯航天局

有何好玩 | ACTIVITIES

［漫步云端］

-

尽管你不会呼吸到新鲜的金星空气，观景甲板却可以让你在城市的人工环境之外待一段时间。在浮城的高度上，压力与在地球上差不多，只要你的皮肤得到了充分的防酸雾保护，而且拥有可呼吸的空气源，你就可以不受笨重的加压宇航服的干扰，尽情享受金星云顶的风光。一定要查看天气预报和城市高度，确保你不会被淹没在浓密的硫酸云和大风

中。严重的酸腐蚀肯定会搞砸一次非常愉快的户外散步。

[观星]

-

在金星的漫漫长夜中，你可以在云层之上观察地球。身处飞艇中观察太空也有缺点，偶尔会出现颠簸。你的望远镜需要复杂的稳定基座来保障平稳。双筒望远镜还算差强人意，用它看去，地球是一个略带蓝色的亮点。水星离金星更近，因此它在金星上比在地球上更容易观测，而火星则更暗。你也会看到月球。天空中的其他部分对于地球的观星者来说应该是非常熟悉的。

[巡游大地]

-

在金星的大地上漫游非常像在地球上扬帆冲浪，只不过没有凉爽的微风和波光粼粼的海洋。空气浓厚，踩着带有保护层的滑板，你可以轻易乘着缓慢的微风滑过尘土飞扬的大地。你需要大而坚硬的轮子去对抗锋利的岩石。如果技术过硬，你可以滑得比每小时十来千米的当地风速还快。亚特兰大平原是金星表面最大的盆地之一，非常适合把滑板带过去，平滑的地貌会使之成为竞速的理想场地。

[天然高压舱]

-

尽管这可能不是最吸引人的运动，但是许多来到金星云城的游客都喜欢压碎罐子或塑料瓶。第一步是在一根非常长的线的末端绑上密封的罐子或瓶子，然后朝表面投下去，就像甩出一条长长的钓鱼线一样。如果你把它放得足够低，它会到达一个压力较高的区域，瓶子或罐子会被压成一团皱巴巴的垃圾。如果把它放得太低，塑料瓶就会完全熔化。

FLY HIGH ON PHOBOS

JUST A SHORT HOP FROM
MARS

目的地：火星
DESTINATION·MARS

谁不曾梦想踏上那颗红色星球？奶油糖果色的天空、巨大的峡谷和太阳系中最高的火山，让火星成了浪漫主义者和冒险家的绿洲。广袤而寒冷的沙漠充满了异域风情，却又让人感到不可思议的熟悉。它就像是某个启示录平行宇宙中的一个小型地球，海洋已经干涸，大气散逸殆尽，剩下的是灰尘、岩石和大量可以让你逃离地球重力和厚重空气的奢华度假村。

在火星上，你的腿脚会感到轻松，不过你仍然会站在大地上。火星表面的重力略大于地球上的三分之一。赤道附近的温度可以达到温暖的二三十摄氏度，不过大部分时间里，火星上的温度都在零下几十摄氏度甚至零下一百多摄氏度。如果你已经去过月球，准备好了迎接新的挑战，但是还没有准备好进行一次太过遥远的旅行（比如前往冥王星），那么火星是最适合你的目的地。

直径：略大于地球的一半

质量：地球的 11%

颜色：棕黄色、褐色和锈红色

绕太阳运行速度：大约每小时 8.6 万千米

引力：一个 60 千克的人所受的重力相当于地球上的 23 千克重力

空气成分：非常稀薄，基本全是二氧化碳，还有痕量的氮气、氩气、氧气和一氧化碳

构成：岩石

光环：无

卫星：两颗

温度（最高、最低、平均）：35 摄氏度、零下 89 摄氏度、零下 63 摄氏度

一日长度：24 小时 40 分钟

一年长度：23.5 个地球月

与太阳的平均距离：2.28 亿千米

与地球的距离：5472 万 ~ 4 亿千米

旅行时间：大约 200 日可飞越

向地球发送信号的时间：3 ~ 22 分钟

季节：严寒的冬季与凉爽的夏季

天气：间或有沙尘暴，偶尔有云

日照：略小于地球上亮度的一半

独特景观：太阳系中最大的火山奥林匹斯山和最大的峡谷水手峡谷

适宜：攀岩和低重力远足

如果你想逃离令人汗流浃背的酷暑，火星是一个理想的冰川度假胜地。火星到太阳的距离相当于地球到太阳距离的1.5倍，因此火星比地球冷得多。

火星上的季节循环与地球非常相似，因为这两颗行星的自转轴倾角相差不到两度，几乎可以忽略不计。然而，由于空气稀薄，火星上的季节更为温和，没有暴风雪、雷雨或者落叶（说到这个，树木也是没有的）。季节的变化是很细微的。随着季节的变迁，你可能会注意到阳光照射岩石的方式、风的强度和方向，或者云层的存在，都变得有所不同。最大的转变发生在两极，极地冰帽会随着阳光的变化增大或消退。

虽然自转轴倾角接近，火星绕太阳运行的椭圆形轨道却比地球的更扁。有些人认为地球与太阳之间的距离决定了季节，这是一个普遍的误解。地球与太阳之间的距离对季节影响不大，这是因为轨道接近于圆形，距离并没有太大的变化。而在火星上，除了自转轴倾角，它与太阳之间的距离也会影响其季节的面目，因为它的轨道更为细长。火星南半球在冬天的时候离太阳很远，因此那里的冬天很冷，而北半球的冬天就相对温和一点，因为离太阳更近。

无论季节如何，尘土都会一直伴随着你。它就像第二层皮肤，会覆盖到你的宇航服外面，还会给你的漫游车和定居点的密封状况，以及机械设备造成麻烦。频繁的沙尘暴有时会席卷整颗行星，挡住太阳。如果你陷入一场沙尘暴，最好的策略是在栖息地或车辆中寻求庇护并等待沙尘暴结束。尽管样子挺吓人，火星的沙尘暴其实并没有看起来那么可怕。在火星上，大气的密度只有地球的百分之一左右，所以尽管沙尘暴会让人看不见东西，会造成太阳能的中断，但是风更像是夏天的微风，而不是狂风。不过，有时在季节变化期间也会出现非常强的风暴，特别是在极地冰盖附近。

你偶尔能在火星的天空中看到云。它们大部分由水冰组成，因为色泽洁白而在橙色的天空中显得格外突出。火星的云层低而纤薄。幸运的话，你也可以看到火星上的雾。和地球上的雾一样，它们形成于低洼地区凉爽的地面附近，尤其是像水手峡谷那样的深谷中，而且也是等到太阳升起后就消失了。

尽管有那么多沙子，你在火星上不会找到任何像沙滩一样的地方。由于气压太低，液态水无法在表面上长期存在，就像在地球表面以上30千米处一样。在这样的条件下，哪怕温度远低于地球上的冰点，水也很容易蒸发。因此，流动的液态水是新奇之物，游客很愿意寻找这些天然而短暂的水流。它们是季节性的，主要出现在夏季。你可以在阿尔及尔盆地北部的海尔撞击坑内找到这些天然水流。

除了两极的冰盖里保存着的大量的冰，火星上大部分的水都在地表以下。如果你在火星上发现了水，可不要未经净化就饮用。它是咸的，也因此才不结冰，而且往往受到了名为高氯酸盐的化学物质的污染。它们可以用来制造火箭燃料，有剧毒。

何日启程 | WHEN TO GO

无论何时去火星，你都有风景可以欣赏。冬天去北半球，看看面积达到峰值的极地冰帽。或者见证一下随便哪个半球的"无尽之夏"。那里的夏天并不是真的没有尽头，只不过时长大约是地球夏季的两倍——对于珍视暑假的学生和老师来说，这是个好消息。

在北半球的夏季，火星处于离太阳最远的位置，观云者可以在赤道附近观赏到大部分的云。如果你想完全避开多云的天空，可以在春、夏两季探访南半球，不过要记住，那时也是沙尘暴的高发时期。

漫漫长路 | GETTING THERE

和前往任何一个相对于你的出发地而言速度总在变化的度假目的地一样，你需要仔细计划何时动身前往火星。地球以每小时 10.7 万千米的速度移动，火星则以约每小时 8.6 万千米的速度移动。想象一下，你的朋友在跑道上跑得比你慢，你在一条内道上，想抛给他一个球。当他在赛道的另一侧时，你是不可能抛球的。你需要预测他的运动轨迹以及球的运行时间，确定抛球的最佳时机。同样的道理，你最好等到地球和火星处于最有利的相对位置时再出发。

你现在可以前往火星——把它的坐标输入星际定位系统，然后一路高歌猛进，到达那里之后再来个急刹车。但我们不建议那么做。霍曼转移轨道是一条椭圆形的轨道，离太阳的最远点在火星，最近点在地球。

利用这条轨道所消耗的能量要少于说走就走、直来直去的路线，但是你需要等待发射窗口，等到两颗行星处于最佳位置，也就相当于你和你的朋友在赛道上并驾齐驱的时候再开启旅程。在简单的霍曼转移轨道飞行计划中，每隔 25.5 个月，或者一个火星年，会出现一次发射窗口。你动身的时间与理想发射窗口的相隔时间越长，到达火星所需的燃料就越多。

等你到了火星，你至少要等 18 个月才能有机会回家。如果你错过了返程航班，你可能需要在火星上停留 3 年半，等待两颗行星再次对齐。这大概算不上世界末日，因为这意味着假期更长了，而你的老板甚至无法和你争辩为什么你需要延长个人假期。

去火星旅行的另一个经济选项是搭乘奥尔德林循环轨

道[1]。它就像是去火星的地铁线路。在奥尔德林循环轨道上的飞船会定期越过地球和火星，利用地球和火星的引力助推节省燃料。

共享轨道上的飞船数量是没有限制的。沿循环轨道从地球到火星的单程需要 147 天。搭乘奥尔德林循环轨道的好处之一是它相对便宜，因为飞船需要很少的燃料就能留在轨道上——只要偶尔推进就可以了。

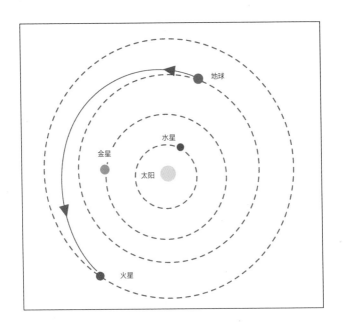

---

[1] 1985 年，曾登上过月球的美国宇航员巴兹·奥尔德林提出了循环轨道的设想。这种轨道的完整周期为 15 年，其间 8 次飞越地球、7 次飞越火星。

从远处看，火星像是天空中的一小块红斑。随着你不断靠近，那团红斑会越来越大，你会逐渐看清它的面貌。留意一下在火星表面上的一条巨大深沟，这条峡谷被称为水手峡谷。等你打算仔细观察时，可以跳上穿梭机抵达它的岩石表面。火星上的红色岩石会令你惊叹，那种颜色并非火红，而是类似于地球上的锈色。那是氧化铁的颜色，说明这颗行星上曾经有流动的水。这里的景色看起来很像美国犹他州，但是光照在岩石上的方式又有些不同。你很快就会注意到，除了岩石，火星上还覆盖着一层细小的尘埃，无处不在，无缝不钻。尘土永远乘着风四处游荡，因为几乎没有湿气能像地球上的雨一样，将它们拍落在地。这里的尘埃滞留在空中，使得天空呈现出特别的橙色。

火星上的节奏与地球相似。这里的一天只比地球上稍微长一点，所以如果你一直希望每天能多一些时间，你终于可以如愿了。一个火星日比地球标准日长 40 分钟，这给了你足够的时间处理那些额外的任务，或者在沙丘间多待一段时间。为了便于从地球时间转换到火星时间，游客在抵达后需要将地球的钟表换成火星的钟表，后者使用比地球上略长一点（确切地说是长 2.7%）的小时、分钟和秒记录火星时间。

在火星上，一个太阳日（sol）代表火星上的一天，长度是火星上的 24 个小时（实际是地球上的 24 小时 40 分钟）。于是，火星上的今天（today）变成了"tosol"，昨天（yesterday）变成了"yestersol"。当你说到明天（tomorrow）时，会有三种表达："nex tersol""morrowsol""solmorrow"。小心别人会问你是不是在"soliday"（度假）。这些术语是由 NASA 的火星车操作员为了找到方法记录火星上不同寻常的时间流逝而创造的。

一旦着陆，你可能会想要打电话回家报平安。虽然在整个太阳系的大图景中，你离家很近，但是将信息传回地球还是需要一定的时间。根据两颗行星位置的不同，你向地球发送消息后等待回复所需的时间在 4 ～ 44 分钟之间。在这里，连上互联网是对耐心的磨炼。

奥林匹斯山（前景）是火星上最知名的旅游景点之一。一定要探访与之相伴的三座火山：艾斯克雷尔斯山（左）、帕弗尼斯山（右）和阿尔西亚山（中），之后再去诺克提斯迷宫远足（图片左上角）。

欧洲航天局 / 德国宇航中心 / 柏林自由大学 / 贾斯丁·科沃特（Justin Cowart）

何以代步 | GETTING AROUND

在火星上的大部分行程里，你会在漫游车中越野。你需要选择车轮强劲的车辆，因为锋利的火星岩石很容易把它们变成废物。最基本、最经济的车类似于阿波罗任务中宇航员使用的那种——小型、完全开放，座椅看起来像草坪躺椅。你只需要穿上宇航服，坐进去，系上安全带。虽然乘坐起来令人兴致盎然，但这些车辆并不适于火星长途公路旅行。如果你想游历些地方，真正观赏些景色，你需要更大的车辆，一辆密封的露营车能让你把家带在身边。这种车辆的配置可以让两名乘客生存 14 天。

只要你拥有一台专门设计的可以在超稀薄大气中运行的飞行器，你也可以实现火星上的空中旅行。这里的重力较弱，一方面导致大气稀薄，另一方面也有助于飞行器停留在空中。飞行器上只能携带很轻的有效载荷，或者自身必须非常大，才能在稀薄的空气中产生足够的升力。

低温会使你在 1 火星分钟内冻僵，而且没有可呼吸的空气，所以如果你的漫游车坏了，悠闲的午后驾车就会变成危险的灾难性事件。为了确保自身安全，你最好遵循所谓的返程规则。只要你乘坐短程车辆离开受保护的定居点，就一定要时刻关注你的电量、氧气量和总旅行时间。绝对不要冒险走到你无法在氧气或电力耗尽之前回到安全地点的地方。世事无常，情况瞬息万变。

许多漫游车可以自主运行或者遥控操作。尽管如此，没有什么能比得上自己驾车自由。如果你打算在假期中租一辆车自驾，你需要接受专门的驾驶员培训。在地球上技术高超的司机可能会发现，如果没有平整的道路，他根本驾驭不了在尖锐的岩石和危险的悬崖间穿行的任务。

不同型号的漫游车各不相同，但是往往都具备通用的组件。一辆中程漫游车配有保护罩、导航计算机、温度调节系统、能够评估环境条件的传感器、能够控制方向的机械化肢体、能够移动的轮子或者履带、一台用于供电的动力源，以及一套通信系统。别管什么型号，它们跑得都不是很快。

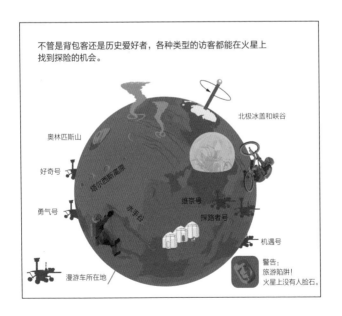

不管是背包客还是历史爱好者，各种类型的访客都能在火星上找到探险的机会。

北极冰盖和峡谷

奥林匹斯山

好奇号

德尔西斯高原

勇气号

水手谷

维京号

探路者号

机遇号

漫游车所在地

警告：
旅游陷阱！
火星上没有人脸石。

选择车辆时，考虑一下你要带些什么。仅仅带生存的基本所需，还是打算一路带着两吨稀有岩石？如果你计划携带重物，你将需要很多大轮胎来分散重量，以免车身沉陷。你还需要这些轮胎能在重压下变形，而不是只会硬邦邦、直挺挺地杵在地面上的轮子。

这就引出了我们的下一个要点：一定要检查你购买或者租用的车辆的轮胎。充气橡胶轮胎在火星上不能用，因为它们会在低温中破碎。最有可能的是，你的轮胎是一个气动替代品，它带有类似自行车车轮上的辐条，能够向轮胎提供一定的支撑。有些车辆上装备着底部带有小轮子的蜘蛛状铰链腿。它们可以像传统汽车一样利用车轮前进，也可以以行走的方式跨过大石头和厚沙地等障碍物。如果你需要挖掘或钻孔，可以把工具固定在其中一条腿上。

有何好看 | WHAT TO SEE

[奥林匹斯山]

-

作为火星上的温和巨人，早已死寂的奥林匹斯山是太阳系中最高的火山。从底部算起，它两万米高的山峰远在250多千米之外，被附近的斜坡遮蔽得看不清面目。奥林匹斯山登顶是所有火星之旅的亮点。与地球上陡峭的山峰相比，它的斜坡很平缓，攀爬起来很容易，但耗时很长。你至少需要计划用一个月的时间来完成徒步攀登，而且要确保存有多余的补给。在奥林匹斯山边缘环绕一周的悬崖崎岖不平，你可以从南面或东面进入，那里的原始屏障没有那么陡峭。

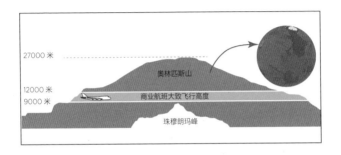

[大瑟提斯高原]

-

火星上的深色斑点大瑟提斯是由荷兰数学家克里斯蒂安·惠更斯（Christiaan Huygens）于 1659 年首次标绘的，后来被天文学家们用来追踪火星的自转。因此，它得到了一个绰号——"沙漏海"。

如今在这个地区，销量最高的纪念品是沙漏，里面装满了大瑟提斯特有的深橙色沙子。科学家们一度认为这片地貌是蓝色的，上面长满了蓝绿色的植被。然而，那只是与其他更亮、更红的区域对比所产生的光学错觉。实际上，这里的深色来自未风化的火山岩。风把刚被侵蚀下来的、色泽更加鲜亮的沙子吹到了其他荒漠地区，留下相对光秃、色泽较暗的碎石。不过，由于这种误解，大瑟提斯也获得了另外一个绰号——"蓝蝎子"。

位于大瑟提斯这块黑斑西南部的是惠更斯撞击坑，这是火星上最大的撞击坑，面积和美国纽约州差不多大。和许多大撞击坑一样，惠更斯撞击坑由几个同心环组成。

[希腊平原]

-

作为火星上最古老的地区，这里斑斑驳驳地分布着太阳系早期遗留下来的许多撞击坑。希腊平原位于大瑟提斯南边，是一块明亮的圆形区域。在寒冷的冬日清晨，它被霜雾遮盖，会变成蓝白色，但这一效果是短暂的，中午前就会消逝。

[塔尔西斯高原]

-

由火山和地质构造运动形成的塔尔西斯高原幅员辽阔，面积比整个美国还要大。三座高高的火山坐落其上，它们被统称为塔尔西斯山脉（Tharsis Montes），又分别得名艾斯克雷尔斯山（Ascraeus Mons）、阿尔西亚山（Arsia Mons）和帕弗尼斯山（Pavonis Mons）。三座山峰都高于奥林匹斯山，但这仅仅是因为塔尔西斯山脉周围的土地本身就很高。艾斯克雷尔斯山比奥林匹斯山更容易攀登，因为你需要走过的距离较短，坡也不太陡峭。如果一直爬到山顶，你将欣赏到这座休眠火山的中心。火山口中有几个区域，熔岩冷却而成的岩石平滑如镜。

[诺克提斯迷宫]

-

诺克提斯位于水手谷西侧，这里布满了纵横交错的深沟。它们形成了一个迷宫，你在里面有可能迷失好几天。在其中信步漫游时，你可能会遇到山崩、沙丘和迷人的阶梯状岩石。层状台地会让你联想到美国南达科他州的崎岖之美。

[阿拉伯台地]

-

阿拉伯台地是一片古老的区域，坑坑洼洼交错排列。其中一些是撞击坑，还有一些是火山运动留下的痕迹。阿拉伯台地上有一大片色泽阴沉的沙丘，被风雕琢成了 200 多米高的险峻山峰。一些地区存在着沟渠，可能是已经干涸的古代河流或者小溪。

[水手峡谷]

-

火星旅程的高潮一定是前往火星赤道附近的水手峡谷之

壮丽的水手谷边缘模拟景观。

美国国家航空航天局／喷气推进实验室／亚利桑那州立大学／R.卢克（R. Luk）

旅。它在 20 世纪 70 年代初被水手 9 号火星轨道探测器发现并因此得名，是太阳系中最宏伟的峡谷。这道巨大的裂谷宽达 200 千米、深 7 千米，是美国大峡谷的 4 倍深。它在火星表面延伸了 1/4 周，长度相当于美国东西海岸之间的距离。

峡谷边缘有许多优美如画的景色。其中人气最高的是俄斐峡谷（Ophir Chasma）和坎德峡谷（Candor Chasma）的交会处，在那里，你会发现自己几乎被陡峭的悬崖包围了。另一处知名景观在米拉斯峡谷（Melas Chasma）中部，或者说是科普莱斯特峡谷（Coprates Chasma）的最深处，那里的崖壁约有 50 千米远，而顶峰耸立在你上方 1000 多米处。

　　水手峡谷景观摄人心魄的原因之一，在于它和地球上的峡谷不一样，当尘埃落定后，空气中少有阴霾，而这一点，是因为火星上的大气更加稀薄。就像透过一扇刚刚擦过的明净窗户看出去一样，这里的风景看起来格外清晰明丽。

[极地冰帽]

-

　　那些挂念着涉水的人喜欢到极地旅行，不过那些地区可能很冷，尤其是在冬天。极地冰帽的旋涡形状是由风在火星自转和重力的助力下形成的。北极冰帽比南极冰帽大得多，主要由水冰组成，顶部有一层干冰。在那里有北极峡谷（Chasma Boreale），其崖壁被刻蚀成了一层一层的，就像缎带糖一样。冬天，大气中的二氧化碳冻结到水冰顶部，进一步增厚了巨大的冰层。到了夏天，被太阳照射时，干冰层受热升华，使得水冰暴露出来，可以供人采掘。季节变换的时候，极地会有强风。

[历史遗址]

-

　　你可以去参观 NASA 好奇号、勇气号和机遇

在好奇号漫游车曾走过的路径上看到的夏普山壮丽风光。

美国国家航空航天局／喷气推进实验室－加州理工学院／马林空间科学系统公司／
加纳·格鲁赛维克

号火星探测器的最后安息地。好奇号位于盖尔撞击坑中，那里能看到夏普山的美景。勇气号是在"本垒"地区西侧一个叫作"特洛伊"的区域里结束了自己的使命。而机遇号的安息地在子午线高原的奋进撞击坑附近。虽然这些探测器走过的痕迹早已随着风尘飘散，回溯它们的路线还是很有趣的。拿机遇号来说，它走过的路径比一次马拉松还长。

有何好玩 | 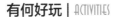ACTIVITIES

[欣赏火星的天空]

-

火星的地貌会让人联想到地球上干燥的荒漠，但是只要你抬头看一看锈色的天空，熟悉感就会消退。在地球上，空气散射光的方式决定了天空是蓝色的。火星上的散射效果却有所不同，那里天空的色调来自尘埃颗粒而不是稀薄空气对光的散射。天空中太阳周围的区域比其他部分更亮、更蓝。

在那些田园诗般的宣传画中，你看到的火星的绚丽红色其实有点夸张。真正到场看一下的话，红色并不像明信片上的那样纯。仔细观察岩石，你会发现它们身上变幻着金色、黄褐色和棕色的晕彩。

火星上的日落有着令人赏心悦目的异世界风情。因为火星离太阳较远，太阳在火星上看起来比在地球上小。火星日落时的颜色与地球天空的典型颜色刚好相反——远离太阳的天空是红色的，而太阳周围的天空是蓝色的。光被灰尘散射，形成一个蓝色的热气球形状，而太阳就位于热气球的吊篮位置。火星自转的速度和地球差不多，因此太阳落山的速度也差不多，但是尘土飞扬的天空反射已经落山的太阳的光，使得黄昏持续的时间更长。在沙尘暴中，你看不到太阳落下的样子，只会看到太阳没入阴霾之中。

白天的火星天空或许奇异，但夜晚的天空就似曾相识了——那里繁星点缀。你能够分辨出在地球上看到的所有星座，只不过多了一颗星，而且并不是一颗恒星——那是地球，距离太阳第三近的大行星，从火星表面看上去是一颗泛蓝的光点。你可以在早晨或者傍晚的火星天空中看到它，甚至月球也是一颗可见的光点，陪伴着更加明亮的地球。

星座是相同的，但是身处火星的天空观察者可能会注意到星星移动的方式与地球上并不一样。在你的家乡，北极星位于北极的天顶，或者说地球的自转轴正对着它。它在天空中的位置保持不变，其他星星都缓慢地围绕着它旋转。因为火星自转轴所指的方向与地球不同，它的北极星是另外一颗。火星的北极星很暗，位于天鹅座和仙王座之间，难以用肉眼看到。不过火星有一颗明亮的南极星——位于船帆座的天社五。前往火星南半球的游客会看到夜空在围绕着这颗恒星旋转。

[跳伞]

-

在火星的天空中跳伞比在地球上更危险。在地球上，由于空气的阻力，你最终会达到一个恒定的速度。这个速度叫作终极速度，为每小时 195 千米。在地球上，你自由坠落的速度永远不会比这更快。

在火星上，由于大气密度太低，你的最终速度将是地球上的 5 倍。你必须使用一组降落伞，更早地打开它们，而且它们必须大到足以将你的速度降到合理的水平。在地球上，你可找不到这般刺激的体验。

[攀岩]

-

水手峡谷令人瞩目的悬崖是考验你攀岩技巧的绝佳去处。如果你并不喜欢向上攀登，可以尝试在米拉斯峡谷的最深处攀绳而下。

你可能需要一段时间才能习惯在低重力环境中穿着笨重的太空服攀登。一些新手认为，由于重力较低，你掉下去也不会受伤，但这只是神话。也许一开始你跌落得很慢，但是当你掉到水手峡谷底部时，你的坠落速度仍然会让你像汽车挡风玻璃上的虫子一样惨死。

[追逐尘卷风]

-

即使没有沙尘暴，火星上的风也能造成麻烦。锥状的尘埃旋涡像龙卷风一样扫过大地，与它们在地球上的同行相比，这些火星尘卷风可以迅速盘旋成高达1000多米的巨塔，直径可达200米。如果你身陷其中，风不会太强，但是灰尘颗粒移动得非常快，可能会刮擦你的宇航服上的护面罩。在尘卷风中，你会看到带电的尘埃朝你发出微小的闪电。

[骑自行车]

-

火星是太阳系中少数几个可以骑自行车的地方之一。火星自行车的轮胎都很厚，可以让你行驶在崎岖的地表上，而不是陷入尘土中。车胎上也有纹理，好让车轮牢固地抓地。橡胶在低温下很容易损坏，所以在火星的低温条件下，自行车车轮是装有弹性辐条的车轮，而不是装有橡胶轮胎的车轮。

在火星的低重力条件下，控制方向会变得更加困难。要想转弯，你必须骑得慢一些，不能太急。如果不把前轮抬起来，想快点加速也是很困难的，因为重力小意味着车轮与地面之间的摩擦力小。不过好消息是，在铺设好的道路上，火星自行车手可以骑得更快，因为空气阻力几乎可以忽略不计。

[玩杂耍]

-

如果你正在学杂耍，火星是一个很合适的地方。这里的重力只有地球上的大约三分之一，这意味着你用同样的力量能把球扔得更高，从而实现一场缓慢但引人注目的表演。即使你把球扔到在地球上玩杂耍时的惯常高度，它们也需要更长的时间才能下落。如果你还没有充分提升自己的反应能力，你会有足够的时间来掌握动作，这无疑是个好消息。

附近有什么 | WHAT'S NEARBY

火星有两颗小卫星，火卫一和火卫二，它们是支线游的好去处。火卫一绕火星运转一周仅需 9 个小时，每个火星日可绕三周。火卫二绕火星一周需要 30 个小时，不过方向相反。你在火星表面的位置不同，每一年里能够看到的卫星经过太阳的次数也不同。这些所谓的凌日可以被认为是小日食，

探访一下火星较大的那颗卫星，你在上面可以跳过地球上最高的建筑。

—

高解析度成像科学设备／火星侦察轨道器／亚利桑那大学月球及行星实验室／美国国家航空航天局

但是太阳只有一小部分会被遮挡。在极少数的情况下，你可以看到两颗卫星同时在太阳前面经过，这一现象被称为双日食。

［火卫一］

-

虽然英文名取自希腊的恐惧之神，这颗卫星却是个令人愉快的去处。它的周长只有 70 千米，你可以在几天内看遍它所有的精彩之处。如果你是一个有低重力经验的极限跑步爱好者，你可以在一天内绕着整颗卫星跑一周。比跑更有趣的是跳，你猛然一跃就可以搞定地球上最高的建筑——828米高的迪拜哈利法塔。

火卫一的轨道与火星间的距离比任何卫星与其行星间的距离都短。尽管在火星上看去，火卫一很小——大约是地球上满月大小的四分之一，但在火卫一表面上看到的火星却很大，是地球上满月大小的 85 倍。由于火星引力的拉伸和挤压，火卫一预计会在未来 3000 万～ 5000 万年内崩落。来自火星的潮汐力在火卫一表面形成了浅槽，有时被称为伸展纹。这颗卫星的内部只是在重力作用下松散地结合在一起，并被包裹在多尘的外壳中。

［火卫二］

-

火卫一孪生兄弟的英文名（Deimos）意为"惊恐"，它是两颗卫星中较小的一颗，周长仅有 40 千米。微小的质量意味着表面重力非常低，仅相当于地球上的几千分之一。其逃逸速度只有区区每小时 20 千米，几乎任何人都可以把棒球一扔入轨。注意不要砸到登陆船。由于最轻微的跳跃都能让你飞起来，在火卫二上走路很有难度。你可以欣赏到火星的壮美景观，它的大小相当于地球上满月的 33 倍。从火星上看，火卫二比地球上看到的金星略亮一点。

[小行星带]

-

　　早期的太阳系是一片纷扰杂乱的地方，大大小小的物体你碰我、我蹭你。在今天的我们看来，太阳系中齐齐整整的八大行星沿着有序的轨道绕太阳运转，但其实行星之间仍然分布着零星的宇宙残骸。一种残留碎屑是小行星——太空岩石。低重力和不规则的形状使它们成了适合短暂停留的诱人所在。太阳系里的任何地方都能找到小行星，但是许多小行星都位于火星和木星轨道之间那个叫作小行星带的区域里。

　　小行星带是有着危险名声却名不副实的地方之一。小行星之间相距遥远，通常你只能看到正在探访的那个，如果只是经过，那么你闭着眼睛也能穿行其间。那里并没有很多东西——即便你汇集了当中所有的小行星，最终得到的那团物质的质量也不到冥王星的四分之一。

[谷神星]

-

　　仅仅一颗谷神星就占据了小行星带总质量的三分之一。它是小行星带中唯一的矮行星，如果不停下来欣赏一下它明亮的白斑，你的小行星带之旅便不完整。这些斑点中最亮的一枚位于巨大的欧卡托撞击坑中央。斑点是由咸冰蒸发后留下的硫酸镁构成的[1]。你可以采集一些送给地球上的朋友，它们可以作为浴盐使用。谷神星以罗马神话中的农业和谷物女神命名，英语中的谷物（cereal）一词也源自这位女神。等你再吃玉米片的时候，考虑下一次去这颗矮行星旅行吧。

[灶神星]

-

灶神星的质量相当于冥王星的十四分之一，是小行星带中最大的非矮行星天体。拜访灶神星时，留意一下环绕赤道一周的沟槽。它们看上去像是火卫一上的伸展痕，但人们普遍认为这是由巨大的撞击形成的。如果你想要探险，可以去攀登雷亚·西尔维亚撞击坑的中央峰，它进一步证明了灶神星动荡的过往。同时，这座高达 22 千米的山峰也是太阳系中的最高峰。

---

[1] 最新（2018 年）的研究表明，这些亮斑里含有大量的水合碳酸钙。

目的地：木星
DESTINATION·JUPITER

木星是无可争议的行星之王。它将是你在太阳系外围拜访的第一个气态巨人，它会在那里看似平静地迎接你。它那彩缎缠身的宁静形象给人一种错觉，木星是一颗风暴行星，以远大于太阳系其余行星之和的质量施展着自然的伟力。它的力量令人陶醉。

如果你是那种会被肆无忌惮的混乱吸引的人，木星绝对不会让你失望。这颗行星太大了，一个风暴就能装得下地球。在它的云顶，引力是地球上的2.5倍，磁场强度则是地球的两万倍。木星的磁层几乎延伸到土星轨道，一路用辐射影响着它的卫星。

虽然它那沙雕一般生动的风暴令人意乱神迷，但真正引诱你的其实是它的卫星。木星系统如同太阳系内的太阳系，当中的卫星和行星一般多种多样——有些甚至比行星还要大。

速览

AT A GLANCE

直径：超过地球的 11 倍

质量：地球的 318 倍

颜色：盘旋不已的红色、棕色、焦橙色和锈色

绕太阳运行速度：大约每小时 4.7 万千米

引力：一个 60 千克的人所受的重力相当于地球上的 137 千克重力

空气成分：浓厚，由 90% 的氢气、10% 的氦气及一些甲烷和氨组成

构成：气体

光环：有

卫星：79 颗

一巴高度处的温度：零下 72 摄氏度

一日长度：9 小时 54 分钟

一年长度：大约 12 个地球年

与太阳的平均距离：7.79 亿千米

与地球的距离：5.9 亿～ 9.69 亿千米

旅行时间：大约 1.5 个地球年可飞越

向地球发送信号的时间：33 ～ 54 分钟

季节：无

天气：强烈

日照：不到地球上的 4%

独特景观：大红斑、活跃的卫星

适宜：健身、观赏极光、卫星跳转

　　带上你最好的防风暴装备，准备体验风吹在脸上（面罩上）的感觉。木星上的天气永远不会无趣，这颗气态巨人身上的一切都比地球上的更极端。木星上的风速比地球上有记录以来的最高风速还要快每小时 200 千米。这里的风暴可以持续几十年，最著名的飓风"大红斑"（Great Red Spot）已经肆虐了数百年。天空中有许多闪电，它们要比地球上的闪电强大 1000 倍，雷声在天空中传播的速度则比地球上快 4 倍。在地球上根据闪电和雷声之间的秒数衡量雷击距离的方法在木星上并不适用。在木星上，风暴和你之间的距离将是你认为的 4 倍，雷声几乎难以辨认——不是低沉的隆隆声，而是被大气层中富含的氢和氦改变了音调而变成的可怕尖叫声。

　　木星是自转最快的行星。在赤道附近的云顶，一天的长度只有 10 个小时。如果你睡了整个木星日，不要难过，这完全正常。因为木星没有固体的地面，白天的长度在赤道和两极是不同的。气体在两极移动较慢，如果你去极地，你每天会多拥有几分钟。在这个形态不定、动荡不止的旋转球体中，一天的概念是很灵活的。不过好玩的还不止于此。

　　这里很冷，太阳远在 8 亿千米之外，亮度只有从地球上看去的 4%。木星实际上是由风暴构成的，但是因为它的自转轴倾角只有区区几度，在整个长达 12 个地球年的绕日旅程中，它的状况都能保持稳定。当你穿过木星明亮的云层升空或者下落时，温度会有变化。一般来说，天气预报都会告诉你，在气压与地球海平面相当的区域有大风，气温在零下一百来摄氏度。无论怎么说，这都算不上温暖，但是随着你不断走向太阳系外围，行星上只会越来越冷。

何日启程 | WHEN TO GO

你也许会认为木星和地球最接近的时候是最好的发射时机，但如果你真的那么做了，等你抵达木星轨道时，它早就跑远了。因为地球的轨道半径较小，很容易就把木星甩在

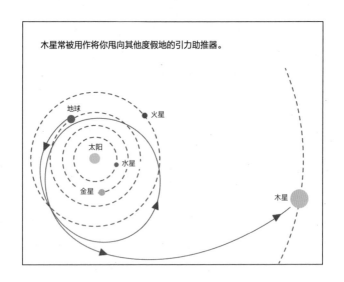

木星常被用作将你甩向其他度假地的引力助推器。

身后，因此每年都会有一个发射窗口供你进入霍曼转移轨道——最省油的直飞轨道。

木星上没有季节，一年到头天气都是一样的。大红斑正在缩小，也许会在未来几十年内消失，不过谁也说不准。最好别太相信自己的运气，尽快预订行程吧。

大多数游客会限制自己待在木星及其内侧卫星上的时间，因为那里的辐射水平很高。因此，很有可能你去那里花费的时间比在那里度假的时间还长。

漫漫长路 | GETTING THERE

如果你只是途经木星，并借助其引力前往另一颗星球，你完全可以乘坐常规的旧式火箭在 3 年内抵达。如果打算停下来，就得多费些燃料。为了节省能量，你必须慢慢减速，匹配木星轨道——那里的平均速度是每小时 4.7 万千米。你将在离开地球 5 ～ 6 年后抵达。

如果你不着急，而且想尽量减少花费，你可以考虑乘坐离子推进火箭。这种火箭可以长时间提供一个较小的推力，让航天器的速度缓慢发生变化。一辆以离子推进为动力的汽车，从静止到加速至每小时 100 千米需要花费 4 天时间。离子发动机的推力虽弱，每小时 32 万千米的最高速度却能弥补这一不足。按照这个速度，你能在 72 分钟内从地球到达月球，只不过，你需要 36.5 年才能达到这个速度。而想用离子推进的方式飞行 6.3 亿千米前往木星，你要花费的时间比这短得多，几年而已。

到达之后 | WHEN YOU ARRIVE

看到木星之前，你会先闻其声。抵达之前几周，在还有 560 万千米才能着陆的时候，你会到达木星磁层的边界。穿过边界时，你的无线电将捕捉到超声速太阳风撞击磁层的声音，来自太阳的高能粒子会被磁层加热并减速。这种奇怪而尖厉的声音会在你的心头萦绕不去，提醒你自己已经离家亿万里。

毛骨悚然的感觉是暂时的。你会不断靠近行星之神，看着远处那个橙黄色的球体慢慢变大，直到大得不可思议，你会有种越来越舒适的感觉。没有任何东西能帮助你为亲眼看到它做足心理准备。有人说会联想到抽象的水彩画，还有一些人会想到热软糖圣代。静下心来，享受一会儿如梦似幻的全景。看着木星排列成条的气体舒缓地舞蹈，你很容易就会忘记时间的流逝。

在木星轨道上，你会体验到在飞行中已经习惯的微重力。在高轨道上研究木星的大气是一种非常可爱的度假方式。如果你有足够的勇气去仔细观察它狂乱的风暴，火箭飞船可以把你带到高空飞艇上。进入木星大气层时，你会感觉到自身的重量。这种不曾体验的沉重可能会让人感到压抑。即使你的飞艇可以停留在最高的云顶附近，你也会感受到数倍于地球的重力。

如果你降落到大气压力与地球相同的地方，你的体重将是在地球上的 2.28 倍。诀窍是一开始不要走动太多，躺下去享受这种沉重。有人说那种感觉就像一个坚定的拥抱，能够唤起安全感和平静。如果你能在足够长的时间内不让自己晕倒，从而掌握在高重力环境中运动的能力，你的肌肉会很快变得发达起来，这在回家的路上会很有用。

在你身心放松地穿过木星的天空之前，要先确保自己的辐射防护足够到位。水或者铅层可以保护你和你的设备。钛是重量较轻的选择，不过效果也会差一些。懂行的旅行者会携带一个放射量测定器，测量自己接触到了多少有害电离辐射。

你的主要交通方式是飞艇。在木星极轻的大气中飘浮要比在地球上更难。你需要使用热的纯氢气作为提升气体。氢气球在木星富含氢气的大气中会沉下去。小心不要把氢气和氧气混合起来，否则会有非常火爆的后果。

　　在度假过程中，你会花很多时间在木星的卫星上观光。在你动身前往那里之前，要确定你真的准备好离开木星了。这是一颗很难离开的星球，无论是从情感上来说，还是从物理学角度上来说。它有着巨大的质量，从它表面升空需要的能量要比从地球上发射多出 5.5 倍。你必须从大气中发射，这一事实更增加了挑战性。

近距离观赏木星的万千"气"象会让你感到迷醉。

---

[1]　因为与口哨的声音类似，航行者1号飞船在木星上探测到的无线电辐射被称为"哨声"（whistlers）。

[大红斑]

-

你第一个想看的是大红斑，它吸引了成群结队的观光客。这个巨大的风暴有 1.5 万千米宽，可以轻而易举地装下整个地球。找到它不会有什么难度，因为它的纬度保持不变，总是位于一个叫作"南赤道带"的区域中。我们不知道它的成因，也不知道它的年龄，只知道自从被人类看到起，它便一直在那里。在地球上，它会被定性为 20 级飓风。有时你会在它旁边发现亮白色的椭圆形，而偶尔，它们会被吸入那个硕大无朋的气旋。

[带和区]

-

等你看够了木星汹涌滚动的红色巨眼，就可以拓宽视野，欣赏一下这颗行星风云翻滚、令人目眩的条纹。木星作为一个整体在旋转，风在加强整体运动方面也起到了自己的作用。每根条纹都代表一股强劲的急流，那里的风速大于每小时 300 千米。哪怕你有地方可站，风也会把你吹飞。木星上有两种类型的条纹：带（belts）和区（zones）。区的云层颜色很浅，较高的氨冰云闪闪发光。区中的风向与木星旋转的方向相同。而颜色较暗的带中云层较低，风通常逆着木星

只有勇敢者才敢穿越大红斑这团比整个地球还要大的飓风。
——
美国国家航空航天局／喷气推进实验室／比约恩·永松（Björn Jónsson）

的自转方向。小心带和区之间的边界，那里的风在改变方向，你的旅程可能会很颠簸。仔细观察，你会看到气体条带的颜色随着时间的推移发生变化。当气体相混、风向相抵时，通常呈现出亮白色的区域会变成黄橙色、深棕黄色或者红色。

[领略大极光]

-

在飞向北极的过程中，你会穿过多条气体带和区，然后见识到最美的极光。在地球上，极光只会偶尔出现，你必须在正确的时间出现在正确的位置，才能邂逅那些发光的涟漪。而在木星上，极光永远都在，永远在两极，而且比地球上的极光强大1000倍。木星附近的辐射很危险，但是当带电的离子撞进高层大气，太阳系内最引人注目的极光便由此而生。强

木星上震撼人心的极光（在图片中以假彩色呈现）会令哪怕最困倦的太空游客心生敬畏。

美国国家航空航天局／欧洲航天局／哈勃望远镜

烈的蓝光在云间跳跃，用超自然的光芒照亮了整个天空。

在木卫三上，你会看到更多的极光，这颗卫星本身有一个较小的磁场，红色、绿色和紫色的光幕伸展超过2000千米。如果你能站在它们下面，它们会填满整个天空，以每小时16000千米的速度移动——可以说是在咆哮了。

［北极］

-

如果你是梵高的崇拜者，你会爱上木星的北极地区。在这里，木星通常的带和区消于无形，只留下一片混乱的天空。不同的大气层次和蓬松的云层在混合时形成印象派的旋

涡，你会注意到泛蓝的色调，这与你在游历木星过程中通常会见到的颜色不同。不要期望平稳地飞行，这里的大气到处都是猛烈的风暴，活像一片不宁静的雷区。

有何好玩 | ACTIVITIES

[游览幽灵之环]

-

木星的北极地区常被人们比为梵高的名作《星月夜》（The Starry Night）。
———
美国国家航空航天局 / 喷气推进实验室 - 加州理工学院 / 美国西南研究院 / 马林空间科学系统公司

如果你拿木星的光环和土星奢华的光环比较，喜爱前者的人或许会有些微词，但是真正欣赏微妙之美的人，会十分享受木星的光环之旅。木星的光环幽暗、朦胧、稀薄，带着淡淡的红色，由微小的尘埃颗粒组成。主环几乎是透明的，而位于更远轨道上的光环更是薄如蝉翼。即使你穿过它们，也几乎注意不到什么。

［聆听迷幻的太空之声］

-

你可以利用无线电调频听听木星磁层的声音。它们每时每刻都在来来去去，活像个吵闹鬼。虽然肉眼看不见，绵延7亿千米的磁层却是太阳系中最大的奇观之一。如果我们能在地球的夜空中看见它，它将有5个满月的大小。

木星磁层源自木星磁场和太阳风之间的相互作用，磁场由在木星核心运转的金属氢生成，而太阳风不断将带电粒子流运送到附近。太阳风撞击磁场，产生强烈的辐射。木星的辐射带不像地球的范艾伦辐射带那么温和，因为它的磁场比地球强10～20倍。木星离太阳很远，然而它的磁场非常善于捕获来自太阳的带电粒子，这意味着该行星有着太阳系内最强的辐射。无线电中的声音会让你想起狮吼、哨声、嗞嗞声、啄木鸟啄树的声音或者海浪拍击海岸的声音。不过放心，木星上没有狮子，只有磁层中的电磁丛林。

［大气深潜］

-

深入木星奇异大气层的深处，你会遇到行事古怪的物质。在强大的重力和木星上层稀薄空气的作用下，你会下降得比石头还快。氨云盘旋在压力与地球相似的地方。再深一点，你就会嗅到一股氢硫化铵的气息。在这之下是一层白云，由你熟悉的水汽构成。水云与氨层发生碰撞，能够引发闪电。

当你下落到压力等于地球表面 10 倍的位置时——相当于在海洋中下潜 90 米，温度将达到 66 摄氏度。由于上方有厚厚的云层覆盖，这里已经是漆黑一片了。随着你不断下降，温度会继续上升。在深渊中坠落几个小时，温度将高到足以熔化铝。之后不久，你将面临千倍于地球表面的压力。这就相当于到了马里亚纳海沟底部，距离海平面 10000 多米。你的飞船也许能撑到这个位置，但是如果你继续下潜，你就没有希望了。随着你的下降，压力只会增加，你的飞船很快就会内爆。你开始深潜 10 个小时之后，就连载具中的钛都会熔化，然后蒸发，变成木星老爹的一部分。我们建议你在发生这种情况之前回头。

但是，如果你有一艘无比强大的船只，还可以继续呢。上层大气由氢气组成，密度比地球大气低很多。当你下沉时，气体汤会变得稠密起来。当压力达到地球上的 50 万倍时，你会发现周围的物质——氢，更像液体而不是气体。继续前进，你会看到金属氢，这种物质被挤压得过于紧密，电子都脱离了原子并且可以自由移动。你可以像在水中一样轻松穿过金属海，但是能见度很低。有传言说这里会下钻石雨。

[租个探测器]

-

如果木星的恶劣天气令你紧张，你可能会考虑用自己的探测器穿过它狂暴混乱的大气层。在附近某颗卫星上的控制中心，你可以租用一部装有摄像头和传感器的探测器。你将通过半实时的视频流近距离观赏木星奇异的色彩和风暴。

如果擅长驾驶，你就可以让你的探测器坚持尽可能长的时间。你可以驾驭着它，躲避闪电和辐射爆。一定要记住，如果你潜得太深，探测器终将爆炸。要是发生了这种事情，你的押金可就收不回来了。

有些人沉迷于这些机器人探险家，他们一部接一部地租，直到把整个大气层都探遍，结果无非是发现了一些新的斑点和风暴。在木星，探索是永无止境的。

[观看彗星坠落]

-

1994 年，苏梅克 - 列维 9 号彗星在离木星很近时，以 21.6 万千米的时速坠入木星大气层，其撞击所产生的能量相当于地球上所有核武器同时爆炸的 600 倍。最大的碎片直径达 2000 米，在云层中形成了巨大的裂痕，令下层大气暴露在外好几个月。木星的巨大引力导致撞向它的小行星数量远远多于撞向地球的，而且撞击的力量更大。这种撞击会在云

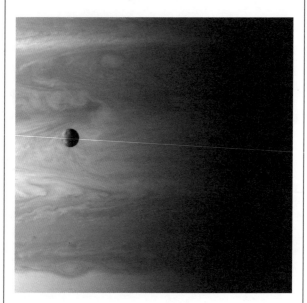

木卫一表面布满了火山。
———
美国国家航空航天局 / 喷气推进实验室 / 美国空间科学研究所

层上方形成巨大的热柱以及在大气中快速传播的涟漪，后者看起来就像鹅卵石掉进水潭时激起的波浪。

附近有什么 | WHAT'S NEARBY

在木星的 79 颗卫星上，你能找到太阳系中最不寻常的一些景观，从大卫星的火山和地下海洋，到小卫星的奇特形状和颠三倒四的轨道角度，应有尽有。有些卫星只有1000多米宽，非常适合进行短期低重力远足和卫星跳跃。

你会很想去著名的伽利略卫星旁边看看，它们就位于离木星最近的四颗卫星之外。这一组由伽利略于1610年首次发现的卫星，被赋予了希腊神话中宙斯的情人们的名字：伊奥（木卫一）、欧罗巴（木卫二）、伽倪墨得斯（木卫三）和卡利斯托（木卫四）。它们是人类发现的第一批围绕其他行星运转的卫星。除了最远的木卫四，其他三颗卫星上都有危险的辐射环境。在离开有防护的飞船和住所去冒险之前，一定要将你的个人辐射探测器带在身边，并仔细检查你的辐射屏蔽。只有在美好的木卫四这颗距离木星180多万千米（4倍于地月距离）的安静岩石卫星上，你才能脱离令许多游客因为担心自己沉浸在辐射之海中而备受困扰的"辐射焦虑症"。

这几颗卫星的运行周期有着令人愉悦的协调性，它们绕行母星的节律也很讨喜。所有的伽利略卫星都被潮汐锁定，公转过程中只有一面对着木星。最接近木星的木卫一仅需42个小时便能绕木星运行一周。接下来是木卫二，翩然一周需要2倍的时长，或者说是3.5个地球日。木卫三的公转周期是木卫二的4倍，木卫四的公转周期则是最长的，差不多17个地球日。

要想前往这些卫星，任何时候都是出发的好时机，因为

依次探访木星最大、最迷人的四颗卫星，即所谓的伽利略卫星。

它们都已经被永久地锁定在了木星赤道面中。能够了解这些迷人的球体肯定会是你木星之旅的亮点。

[木卫一]

-

在安全的距离上绕着木卫一飞行，你将看到一团橙色、棕色、黄色和黑色相间的"糨糊"，你甚至可能会觉得它像

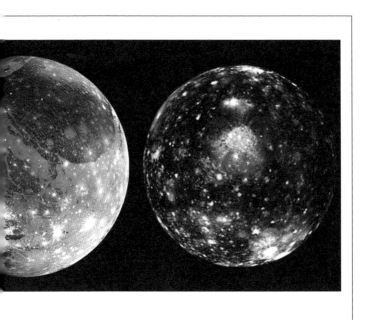

一个被烤过了的比萨。这颗卫星是火山爱好者的"香格里拉"，这里到处都是火山、间歇泉和熔岩，太阳系中最壮观的喷发景象就在这里。

由于恰好位于木星其中一个辐射带中间，木卫一上的辐射比其他任何卫星上的都要高。火山的猛烈爆发将钠和硫离子高高地抛入太空，留下了一道电离粒子的踪迹。它们与木星强大的磁场共同作用，在木星周围产生了一个带电等离子体环。这个等离子体环在两极地区产生了耀眼的极光。木星的磁场也会在木卫一上激发电场，产生300万安的电流，这反过来又会在木星大气层中引发闪电。

　　木卫一上的火山形成于各种形状及大小的裂缝中。你会看到火热的湖泊、熔岩河流和破火山口——中央凹陷的火山山丘。巨大的火山向太空中吐出伞状的尘埃和气体柱，为地表点缀出白色、黄色和红色。火山喷发后，二氧化硫结霜，这会让你奇异地联想起寒冷冬夜里刚下过的雪。任何时候，木卫一上都有100个火山口正在喷发。造成这幕火热景象的是它相对于木星及其姐妹木卫二和木卫三的运动所产生的强大潮汐。百米高的潮汐并不罕见。压抑的能量在释放时，地表会开裂，持续不断地喷出二氧化硫气体和熔岩流。

　　在这片火热的大地上四处走动是一项颇有风险的活动，不过，在木卫一上，熔岩造成的威胁并没有辐射大。游客接触到的辐射量是地球上日常生活中的5万倍。你应当仔细记录自己的辐射暴露情况。准备足够的水，因为火山活动已经让这颗卫星变得十分干燥了。准备好在容易开裂的不稳定地面上游历，你将跨过炽热的灰烬，从一块岩石跳到另一块，你还将横步闪身，避开能轻易把你的假期打断的隐藏间歇泉洞。

　　你将在洛基湖开启你的木卫一之行。这个巨大的熔岩湖得名于北欧神话中那位形态善变的神。从空中俯瞰，它像块马蹄铁，黑暗的液体拥抱着一块高地。直径202千米的洛基湖是木卫一上最大的火山洼地，因其面积较大，它一般被称为岩浆海而不是熔岩湖。别管你怎么称呼它，都不要离它太近，因为岸边那些发光的岩石会破裂，让你掉进火坑。来自洛基湖的热量在地球上都能够被看到，你可以把自己去那里的准确时间告诉地球上的朋友，这样他们就可以通过望远镜看着它，知道你正在经历终生难忘的冒险。洛基熔岩释放的热量，比地球上全部火山释放的热量加起来还要多。

洛基湖的西南部是雷，一座800多米高的美丽火山。从它的中央熔岩池处，状如脉络的峡谷向四周延伸。它以低黏度的熔岩流和高喷发率而著称。

洛基湖以东2000千米，相当于从美国旧金山市到丹佛市的距离之外，是以创造夏威夷群岛的火山女神的名字命名的佩莱火山。它的周围环绕着一个差不多和美国阿拉斯加州一样大的红环，中心是一片30千米宽的熔岩湖。1979年，旅行者1号飞船在夜间飞越此地时，捕捉到了300千米高的火山烟柱的图像，这是人类首次意识到木卫一上仍有地质活动存在。

火山旅行很危险。你可能会遇到热喷出物、山崩和有毒气体。你可能有机会见识到烈焰之泉——从远处看通常是安全的，但是请记住，任何时候都有可能发生任何规模的火山爆发，而此前毫无征兆。

从佩莱火山出发，你可以向南走到一个叫作多瑙河高原的巨大台地，它得名于宙斯的情人伊奥（木卫一在西方的名字的由来）曾经穿过的那条河流。这座 5.5 千米高的山宽 244 千米，一条近 25 千米宽的峡谷从中间将其分成两半。你可以徒步穿越峡谷，观赏令人心动的景色，但是要小心，西缘容易发生山体滑坡。

向东行走大约 3200 千米，你会遇到普罗米修斯火山。这座得名于把火带给凡人的希腊天神普罗米修斯的火山已经喷发了好几十年。这是一座喷发相对缓慢却稳定的火山，周围环绕着流动的熔岩场和明亮的二氧化硫残余物。它能将熔岩抛到 400 千米的高空，如果你恰好在那个高度上绕着这颗卫星飞行，可能会与它来一次意外的近距离隔窗相望。

[木卫二]

木卫二是距离木星第六近的卫星，它比冥王星略大，是一颗冰封的严寒星球。对于攀冰爱好者、深海潜水员以及任何对地外生物感兴趣的人来说，它是一个世外桃源般的所在。木卫二地质活跃，拥有间歇泉、冰火山和 30 米高的潮汐。

俯瞰木卫二时，你会看到它的白色表面上刻着一些奇怪的痕迹。这些痕迹是覆盖全球、厚达 10～30 千米的冰层上的巨大裂缝。仅为地球重力 13% 的低重力会将喷发的冰柱高高送入天空，而冰下的海洋水量比地球上的所有海洋中的水量都要多。

在木卫二旅行时，你需要时刻关注自己的辐射状况。小心对待表面上的旅行，就像潜水员在地球海洋中探索时，需要控制时间并留意深度以避免减压一样。你在木卫二表面上面临的暴露风险可能会让你在几天之内丧命，因此，待在冰层下更安全，至少你有了一层抵御辐射的天然屏障。

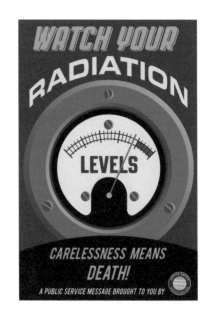

这颗卫星上到处都是水冰，你可以将其加工成饮用水或燃料。如果你想喝饮料，我们的建议是参与一次用带有航天局特色的茶具进行的日式传统茶道活动。这个想法来自地球艺术家汤姆·萨克斯（Tom Sachs）[1]，它将有助于你在零下数百摄氏度的严寒中保持温暖。在这样的温度下，覆盖着木卫二的冰就像岩石一样。

你在这颗冰封星球上的第一站是普维尔撞击坑，它的

---

[1]　汤姆·萨克斯，美国设计师、雕塑家，曾与耐克合作推出"太空计划"系列运动鞋。

名字来自中世纪威尔士传说中的英雄。这片很明显的凹陷位于面向木星那一侧的冰面上，25千米宽的撞击坑中央有一座约600米高的山峰，在饱受剥蚀的300米高的外缘中高高耸立。木卫二上许多以凯尔特神话中的人物名字命名的撞击坑，都像这样慢慢消失了。

在普维尔撞击坑，你可能会考虑在几十千米厚的冰层上钻孔，探索木卫二冰下海洋的热液喷口。你可以租一艘私人潜艇、上潜水课，或者用潜水机器人在水中航行。或者，你也可以径直向北到达康纳玛拉混沌区域，一片以爱尔兰西部某地的名字命名的冰面形态。这是木卫二表面上的五个混沌区域之一——所谓的混沌区域就是一片由冰脊、裂缝和平原组成的地貌。这一相对年轻的地貌，是因为冰壳移动时，水从下面涌出冰面，破冰成块，令其融化后重新冻结而形成的。

普维尔撞击坑的东南方向是阿格诺尔纹线，它相当于木卫二上的圣安德烈亚斯断层（位于美国加利福尼亚州的巨大断层）。这是一条 1414 千米长、20 千米宽的明亮条带，其光滑的路径是进行雪地漫游车比赛的理想场地。

在阿格诺尔纹线的尽头，你会看到瑟雷斯暗斑——木卫二上最大的暗斑。花点时间回想一下科幻作家亚瑟·克拉克（Arthur C. Clarke）在《2001 太空漫游》（*2001: A Space Odyssey*）中描绘的巨大黑色方碑。在这本书中，木卫二被描绘成一颗可能藏有智慧生命的神圣卫星。

瑟雷斯暗斑的西边是锡拉黄斑。那里有一个冰下湖，非常适于放松几天，然后继续进行探险。蒸个热水桑拿，然后跳进湖里冰浴。旅程结束前，不要忘记收集一些木卫二海盐。你可以将其撒在巧克力冰激凌上品尝一下，体验一回真正的木卫二美食。

［木卫三］

-

在木卫二之外 40 万千米处的轨道上运行的木卫三是一颗奇怪的冰卫星，它有着优雅的明亮旋涡图案和支离破碎的黑暗地形。它以相当于木卫二一半的速度绕木星公转，因此，你可以趁着木卫二超越它的时候跳转过去。这是一颗梦幻般的卫星，浪漫主义者的庇护所，闪烁的撞击坑有如繁星一般点缀着它斑驳而流动的表面。它的北极覆盖着一层薄薄的霜盖。木卫三是太阳系中最大的卫星。如果你在这里待上一个星期，你就可以在它公转一周的过程中欣赏到木星

360度的全景。

参观木卫三时，你很快就会熟悉一种在地表纵横交错的奇怪凹槽，这种会让人联想到大脑表面凹槽的地貌，被称为"脑沟"（sulci）。它们拔地而起600多米，绵绵蜿蜒几千米。你可以沿着地势，乘坐防辐射漫游车旅行。这里的辐射水平远低于木卫一和木卫二，但是仍然比地球上高。它有一个弱磁场，这在卫星当中并不常见。它弱得抵挡不了危险的太阳风，不过倒是会在木星的磁层中引发令人愉悦的小波动，并让木卫三的天空中布满微弱的极光。在木卫三上，每过一个地球日，你接收到的辐射量就相当于地球上一整年的13倍。这里有一层由氧气构成的稀薄大气，但是比地球上稀薄1000倍。

人们很容易就会忘记木卫三上的黑暗区域是由冰而不是岩石构成的。"脑沟"的团块结构表明冰层下潜藏着岩石，它有数百乃至上千千米厚。如果你挖得足够深，就会发现一整片地下海洋。

木卫三没有木卫一那么危险，但是在遥远的过去，它可能有过喷发水、甲烷或氨的冰火山。这些火山喷出的水流可能和你在木卫一上见识过的热流一样危险。

[木卫四]

-

在伽利略发现的卫星中，唯有木卫四能让你放松一段时间，不用担心过高的辐射。远离了木卫二冰冷的深渊和木卫一地狱般的火山，在你巡游木星小卫星的过程中，这里是一个可以称为"家"的好地方。

游客会选择的其中一个落脚点是庭德尔撞击坑。这个70千米宽的大坑得名于北欧神话中的神。陨石撞击时，地表以下数千米处的物质被翻了上来，造成了中央的一片混乱。洛芬撞击坑位于南极附近，是木卫四上最大、最年轻的撞击坑之一，中心环宽180千米。作为一个以北欧神话中婚姻女神的名字命名的撞击坑，洛芬是很受欢迎的结婚场所——当然，只要你的朋友们愿意远赴6.3亿千米的距离。洛芬撞击坑很浅，只有六百来米深，周围有明亮的辐射状线条，可以在空中观察到。它被侵蚀的边缘坡度平缓，可以成为长婚礼队列的理想选择。你还可以考虑停下来看看470千米长的吉普尔环形山链，它是由于一颗彗星在木星引力的拉动下破碎而形成的。

离开木卫四之前一定要在瓦尔哈拉停留一下。它是太阳系中最大、最壮观的撞击坑，几乎有4000千米宽，比水星上的卡洛斯盆地还要大，几十个同心的环形山脊从撞击中心点向外延伸。

[木卫五]

-

如果你想脚踩大地看到最宏大、最壮观的木星景象，没有哪里比内卫星更合适的了，它们的轨道比伽利略卫星更靠近木星。其中最大的木卫五，是以希腊神话中一位仙女的名字命名的。这颗红色的冰碎石堆是距离木星第三近的卫星。从这个有利的位置看去，木星占据了四分之一的天空，大到足以让你轻松欣赏汹涌的云层和大红斑。你将在大约 12 个小时内绕木星运行一周，但是由于木星的平均自转速度更快，且与木卫五的公转方向一致，你需要一段时间才能看到它的整个面貌。这颗卫星的轨道差一点就碰到了木星的其中一个光环——阿玛尔忒亚薄纱环。这个环是由从木星表面剥离的灰尘构成的，纤薄如若无物，虽然木星的其他环也很暗淡，阿玛尔忒亚薄纱环却比它们还要暗 10 倍。

［木卫十三］

-

从木星向外数，木卫十三正好是幸运的第 13 颗卫星。在这个黑暗的世界里走走吧，它只有 10 千米宽，面积大约相当于日本的冲绳岛。木卫十三可能是一颗较大的小行星破碎后形成的。尽管它的轨道距离木星 1100 多万千米，木星在它的天空中看起来比地球上的满月大 40%。在长达 240 个地球日的公转周期里，木卫十三的轨道为你呈现了在更适合观光的伽利略卫星上永远看不到的木星景象。

[特洛伊群小行星]

-

　　这个巨大的小行星群位于木星轨道前后各 60 度处，在木星绕太阳运行的过程中庇护着它。超过 100 万颗特洛伊小行星的直径超过 800 米，它们聚集成两组，分别位于 L4 和 L5，即相对于木星和太阳来说静止的两个拉格朗日点处。

　　虽然被统称为特洛伊，但只有 L5 拉格朗日点的那一群才叫特洛伊，L4 的那一群则被称为"希腊"。希腊集团中有一颗小行星得名于特洛伊间谍赫克托，而特洛伊集团中的一名成员则被赋予了希腊间谍普特洛克勒斯之名。木星并不是唯一拥有这种岩石同伴的行星。金星、火星、天王星、海王星，甚至地球都有特洛伊小行星，它们分别在各自行星与太阳的拉格朗日点上与行星共享轨道。

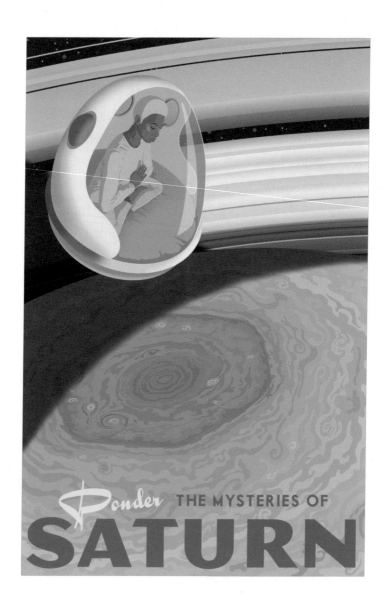

Ponder THE MYSTERIES OF
SATURN

目的地：土星

DESTINATION·SATURN

土星是太阳系中的宝石，它有着图案复杂的光环、万花筒一般五彩缤纷的云景和一个神秘的六边形旋涡。谁能想到这么一大团气体会如此平静呢？你会在它轻盈大气中的高大、蓬松的云团里穿行，那里的重力比地球上低一些，会让你感觉到熟悉。

土星满足的是愿意多走几步（很长很长的几步）到达那里的旅行者，以及打算近距离观赏土星光环的资深太空度假者。它的许多卫星和小卫星[1]拥有多种多样的地貌——从小小的冰块到像行星一样大的岩石球体——能让你在其中嬉戏或得到放松。此外，你还可以在太阳系最迷人的卫星之一——土卫六上享受海滩远足。

---

[1]　小卫星指小于 1000 千克的卫星。

速览

AT A GLANCE

直径：超过地球的 9 倍

质量：地球的 95 倍

颜色：黄棕色染着一抹橙色，偶有泛蓝的点缀

绕太阳运行速度：每小时 3.5 万千米

引力：一个 60 千克的人所受的重力相当于地球上的 55 千克重力

空气成分：浓厚，96% 的氢气、3% 的氦气，痕量的甲烷、氨气、氘化氢和乙烷

构成：气体

光环：有

卫星：62 颗

一巴高度处的温度：零下 139 摄氏度

一日长度：10 小时 40 分钟

一年长度：超过 29 个地球年

与太阳的平均距离：14.34 亿千米

与地球的距离：12 亿～ 16 亿千米

旅行时间：3 个地球年可飞越

向地球发送信号的时间：67 ～ 93 分钟

季节：与地球类似，但持续时间较长

天气：间或有大型风暴，风力强劲

日照：亮度约为地球上的 1%

独特景观：壮观的光环、神秘的北极六边形

适宜：跳伞、光环游、卫星运动

天气和气候 | WEATHER AND CLIMATE

在地球上，天气产生于我们的上方。而在土星上，因为风暴的生发不拘上下，天气呈现出独特的模式。这里没有大地，没有能让雨水浸透的泥土，没有能让闪电击中的树木，只有堆满浓云的天空、无情的风和席卷全球的风暴。在空中上浮或下潜时，你会焦躁地渴望了解天气如何变化。和木星大气一样，土星大气主要由氢和氦组成，并含有微量的氨和甲烷。在顶层，雾霭沉沉，冰冷彻骨——这里有零下一二百摄氏度，厚厚的氨云仿佛给土星包上了一层奶油。当你下降时，温度会上升到零下 70 摄氏度，你会看到氢硫化铵云，它的颜色更接近红褐色，就像木星上的云一样。再往下，就在压力和温度升到令人不快的程度之前，你会遇到地球上那种熟悉的水冰云。

土星距离太阳 15 亿千米，比木星稍冷。在压力和地球上一样的高度，土星的平均气温在零下 139 摄氏度。虽然土星的质量比木星小很多，重力也较低，但它表面上也分布着向东流动的区和向西流动的带。土星的昼夜长度也与木星接近，只有 10 小时 40 分钟。

在土星上是很容易被风吹跑的，赤道附近的风速可以达到每小时近 2000 千米。一年是漫长的，相当于近 30 个地球年，27 度的自转轴倾角引发的季节变化会触发恢宏的天气模式。北半球的春天以 1 土星年一次的风暴锋而闻名，就像一滴落到水中的食用色素，风暴锋扩散着、旋转着，让整个星球乱流激荡。它们引发的闪电比地球上的闪电强烈 1 万倍。要尽量躲避，不过，只要你身在导电金属飞行器中，你就是安全的，就像在地球上闪电击中飞机一样，封闭的框架是一个能够保护你的电屏障。炽热电击产生的真空使得空气快速移动，发出雷声。就和木星上一样，土星上的雷声不是令人欣慰的隆隆声，而是被土星天空的低密度气体扭曲了的高频啸鸣。

何日启程 | WHEN TO GO

探访土星的最佳时机是木星能够提供强大引力助推之时。两者之间出现有利位置关系的时机大约每 20 年出现一次。出发之前，你需要向当地的跨星系旅行社咨询下一个发射窗口。春天是拜访土星的绝佳时机。经历了 7 年的冬季后，北极的六边形形态会更加鲜明。些许变强的阳光会让土星上的气体运动起来，引发美丽而狂乱的风暴。

漫漫长路 | GETTING THERE

如果你想尽早到达土星，而且并不害怕乘坐由 1000 枚核弹驱动的飞船，你可以考虑恢复被称为"猎户座计划"的宇宙飞船设计，该项目的蓝图是 20 世纪 60 年代初 NASA 数千名工程师的智慧结晶。如果一切顺利，你从外层空间接收到的辐射水平将超过你从核弹动力飞船中接收到的辐射水平。如果你选择这个方案，你将乘坐化学火箭从地球出发，到达太空后再与另一艘特殊飞船会合，以免地球居民在你起飞时暴露在因爆炸而造成的落尘中。

如果你倾向于乘坐更传统的火箭，它能在不到 10 年的时间里完成 13 亿千米的旅程——前提是你带的东西不重。

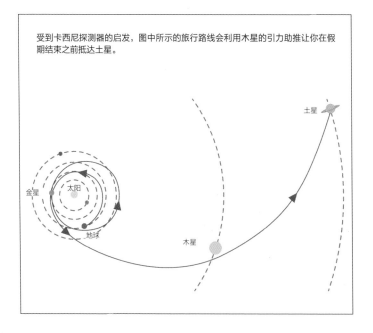

受到卡西尼探测器的启发，图中所示的旅行路线会利用木星的引力助推让你在假期结束之前抵达土星。

要想到达这颗星球，你可以在途中利用地球、金星或者木星的引力助推。借助内行星的引力助推前往外行星似乎听起来不太现实，但其实如果这么做的话，你在推力方面获得的收益可能会弥补增加的里程数，而且你还得到了拍摄风景照的好机会。

到达之后 | WHEN YOU ARRIVE

接近这个褐色的气态巨人时，你首先会注意到它美丽的光环。从远处看，那些环似乎坚实、平整而宁静。随着你逐渐接近，你会发现它们坚实的外观其实由单独的碎片组成。在这些飘浮的太空冰山中，有一些比建筑物大，还有一些非常小。它们在重力的作用下围绕土星运行，距离土星越近，速度越快。在某些环与环之间的大空隙中，你可能会看到一颗小卫星。

你还会注意到它的扁球形状。没有一颗行星是完美的球体，然而土星的中央隆起要高于平均水平。由于其高速的自转，土星赤道的直径比两极间距宽 10%（地球的这个比例是 1%）。

随着你不断靠近土星，你会很难相信那些云不是视错觉，不是悬浮在太空中的水彩画大师之作。各种颜色来自痕量的甲烷、氨和其他气体，并在整个土星表面排列成带和区。离赤道越近，带和区便越宽，每一根条纹都代表着大气层中一道独立的喷射流。走近一点，你会看到旋转的泪珠状风暴。

你可能会想在它的大气层中来次短途旅行，以便近距离观察那些形状各异、大如地球的纤弱云团。最上层的云由氢构成，色泽明亮，由于云中含有微量的硫，又使得它带有柔和的黄褐色调。这是一种天然的雾气，是这颗行星的固有特征，早在人类出现在地球上并制造出喷烟吐雾的汽车之前数十亿年就已经出现了。

何以代步 | GETTING AROUND

宇宙中最轻的元素氢占据了土星天空的96%。如果有可能把这颗星球放在一个巨大的浴缸里，它会因为密度比水小而浮在水面上。因此，乘坐飞艇旅行是一项独特的工程挑战。在地球上，因为氢气比我们（相对）沉重的空气轻得多，它可以浮起大型气球和飞艇。而在土星上，升空的唯一方法是使用加热的氢气，因为其密度小于周围较冷的氢气。听起来很危险？不必担心——只要你别在火焰附近混入氧气，它就不会着火。另一种得以游览土星天空的选择是真空飞艇。毕竟，唯一比氢气还轻的东西就是真空。不幸的是，真空飞艇很容易发生内爆。

从轨道上看去，土星令人惊叹。虽然大气层较轻，这颗星球还是非常庞大的。逃离土星的引力，要比你在13亿千米之外逃离地球的引力时多耗费3倍的火箭燃料。你需要乘坐航天飞机去拜访土星周围的卫星，在其中的大部分星球上乘坐漫游车游览。最大的卫星土卫六上有着浓密的氮基大气，那里是使用小型飞艇和飞机的理想场所。

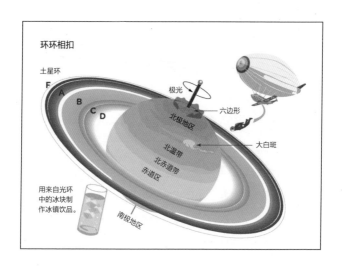

环环相扣

土星环

F

A

B

C

D

极光

六边形

北极地区

大白斑

北温带

北赤道带

赤道区

用来自光环中的冰块制作冰镇饮品

南极地区

有何好看 | WHAT TO SEE

[北极六边形]

-

在土星的北极，你会看到它最迷人、最神秘的特征之一：六边形旋涡。这个气体旋涡又被称为北极涡流，它略呈圆形，但有着非常明显的 6 条边。它的直径相当于地球的 2.5 倍以上，深约 100 千米，每条边都比地球宽，是太阳系中最伟大的自然奇观之一。如果你想下落到六边形中，那就需要做好准备，应对异常凶

土星北极地区急如射流的风形成巨浪，浪峰交叠形成六边形。

美国国家航空航天局 / 喷气推进实验室 / 美国空间科学研究所

猛且风速超过每小时 350 千米的湍流。整个六边形大约每 10.5 个小时旋转一周。这种不寻常的现象到底是怎么形成的？在不同的深度以及表面不同的位置上，土星的风速都是不同的。这些风会产生巨浪，随着 6 个浪峰在土星的极点周围交叠，巨浪形成了一个六边形。浪峰的数量以及最终的形状取决于不同层次的风速及风速差异。

[南方飓风]

-

土星的南极没有六边形，但那里有着永不休止的飓风，

看起来就像一只不眨一下的巨眼。那里的风很危险，速度高达每小时 560 千米——比地球上的飓风还要快。爱冒险的旅行者可能会想要深入巨眼深处。那里是除了六边形外，少数几个可以深入大气而不会被云层吞没的地方之一。

有何好玩 | ACTIVITIES

［光环游］

-

许多人都曾通过望远镜瞥见土星雄伟的光环，但是很少有人踏上 13 亿千米的旅程去触摸它们。体验土星环是许多心怀大志的太空游客的毕生梦想，有些人甚至会花数周时间细细琢磨那些复杂的图案。

土星有七个主环，每一个都由数十万个更窄的环组成，后者被称为小环。它们是灰色的，带有一丝粉红色和棕色的光泽，每一个都以一个英语字母为名。光环从距离土星7000 千米处延伸到 80000 千米处。土星云顶和光环内边缘之间的距离，是土星宽度的一半。

离土星最近的光环是 D 环，接下来依次是 C 环和最大也最亮的 B 环。这三个内环被名为卡西尼环缝的著名大缺口与其他环分开。与大众的认知相反，卡西尼环缝并不完全是空的，而是含有少量的灰尘。

卡西尼环缝以外的下一个环是 A 环，那里有个较窄的恩克环缝。接下来是 F 环。最外面是纤细的 G 环和 E 环。

土星的光环非常薄，只有约 10 米厚，因此最好的观赏角度是从上面或者下面看，而不是从侧面看，否则它们看上去就只有薄薄的一片。随着你不断接近，你会发现构成光环的微粒并没有你想象中那么井然有序。它们聚集成团，团在运动方向上拉长，形成不规则的曲线，团之间隔着很大的空间。如果你能把各个光环中所含的物质全部收集起来，你就可以为土星缔造一颗中等大小的全新卫星。

光环不是静止的，它会收缩、膨胀，仿佛有生命一般。土星的卫星影响着光环的运动，与它们优雅地嬉戏，让它们在引力的作用下荡漾舞动。光环会向外延展，会变厚，会在边缘形成参差如山的形状。黑暗的辐条图案横贯光环，时而出现，时而消失。这些光环是由卫星和运行至此的彗星所喷出的冰维持的，光环吸纳的物质比流失的物质少，或许，经过漫长的岁月后，它们会完全消失。

没有人确切知道土星光环的起源，不过最合理的理论认为，它们是由一颗过于接近土星的卫星形成的，近侧和远侧所受的引力差异导致这颗卫星被拉伸，直至彻底被潮汐力撕碎。

在石块上品尝一杯太空鸡尾酒吧，冰块直接从光环里取就可以了——因为其中 93% 的成分是水冰。一定要确保你的酒保使用的冰没有被沙砾、盐或者毒性物质污染。

朝着太阳方向拍摄的土星环背光照片。

———

美国国家航空航天局 / 喷气推进实验室 / 美国空间科学研究所

[寻找极光]

-

　　拜访土星的两极时，要留意极光。和木星一样，土星的磁场会捕获来自太阳、卫星以及自身的带电粒子，并将它们扫入磁极。高能粒子撞击土星大气层顶部的气体时，会把能量传递给原子和分子，然后这些能量又以光的形式被释放出来。土星的磁场没有它的邻居木星强，但它的极光同样绚烂。有如巨大的幕帘一般，极光摇曳在土星的高层大气中，高度可达 100 千米。极光的颜色会随着高度变化，底部是粉

红色的，越高便越呈现出可爱的紫色。

［追逐风暴］

-

土星翻腾的大气层看起来像是一碗经过了充分搅拌的带有巧克力酱的咖啡冰激凌。每过几十年，就会有一场几乎席卷整颗星球的巨大风暴，令满太阳系追逐风暴的人们喜笑颜开。这些巨大的白斑是一种罕见现象，在过去 140 个地球年里只出现过 6 次，或者说每一个土星北半球的夏天里出现大约 1 次。它们的面积比整个美国还要大，是由大气中上升和下沉的水蒸气形成的。这和地球上风暴形成的基本原理差不多，只不过土星风暴形成所需的时间更长。

［跳伞］

-

土星的质量和尺寸都比地球大，这为跳伞运动提供了独特的条件。选择一家信誉良好的公司很重要，而且最重要的一条，是要预订那些等你安全降落后才接受付款的公司。声名狼藉的运营商会让跳伞者在过高的位置起跳，那样他们的加速度会很大，等到这些不幸的冒险者到达气体密度更大的高度时，就会因为过高的坠落速度而像流星一样燃烧起来。不过不要因此被吓到。只要你在大气层中开始，阻力就不会让你加速到致命的速度。从压力与地球相同的地方起跳，站在飞艇敞开的门口准备跃下时，你会觉得自己轻了几千克。一旦你迈出这一步，你的加速度只会比在地球上略小一点。地球上的终极速度是每小时195千米，达到这个速度之后，你就要减速了，但是土星的大气密度较低，阻力较小，你在土星上要冲到每小时500千米才会达到受力平衡。你可以享受比最快的赛车还快的速度所带来的快乐，而且你和天空之间只隔着一套宇航服。

你将在一层纤薄的黄色氨冰云中开始坠落。大约10分钟后，你会跌落100千米，遇到更厚、更红的硫氨冰云。最后，你会到达一些更加眼熟的白色水汽云。整个坠落过程将非常黑暗——云顶上接收到的阳光只有地球上的1%，随着你在大气层中越坠越深，光线还会变得更暗。最终天空会变成漆黑一片。向着黑暗的深渊尽情坠落吧。你没有坠地的危险，因为根本无地可坠，但是你的宇航服确实有可能在过深的位置因为压力而内爆。你也许会厌倦黑暗中的坠落，如果有了这种想法，你可以启动降落伞，发射上升火箭与你的回收船会合。

如果继续跌落到你能生还的位置以下，你会进入土星上最神秘的区域，一个在高压高温泥浆中能凝结出固体钻石的地方。那些粗糙钻石的直径或可超过2.5厘米，形成钻石雨纷纷落下。虽然所有由气体和冰构成的巨行星内部都蕴藏着钻石，土星上这种迷人的降雨规模却是最大的。

[观看焰火]

-

土星大气中约 96% 的成分是氢气，如果有氧气存在，就会非常容易发生爆炸。虽然浪费宝贵的氧气是不可取的行为，而且定居点和宇宙飞船内的明火非常危险，但是在一些特殊场合，人们可以从大气中收集氢气，然后在人工空气环境中点燃，制造受控的爆炸。点燃气体所产生的炽热烟柱看起来就像朵迷你蘑菇云。

附近有什么 | WHAT'S NEARBY

何必只满足于一颗卫星？土星有 62 颗卫星，能够为不同的卫星游历者提供多种多样的乐趣。不过，如果你的时间只够参观一颗卫星，那就去土卫六吧。

[土卫六]

-

如果你想在地球以外的某个海滨度假，土卫六是你最好的选择。注意，探访土卫六更像是去南极探险，而不是在阳

土卫六是太阳系中最有意思的地方之一。

美国国家航空航天局／喷气推进实验室／美国空间科学研究所

光明媚的坎昆[1]逍遥一番。你需要适应这里的海滩，因为它们笼罩在永恒的黄昏之中。这里的正午感觉就像是日落之后的 15 分钟，太阳躲在难以穿透的雾霭背后。如果你能忽视这一点，这颗橙色卫星上的岩石海滩还是相当可爱的。

　　你需要配备防护措施，抵御空气中的有毒成分和相当于地球北极的低温，不过加压服可以丢掉了，因为这里的大气

[1] 坎昆为墨西哥著名的旅游城市，位于加勒比海北部。

压力仅为地球海平面的1.5倍。当你的衣服紧贴在皮肤上时，你能感觉到气压的推挤，那种感觉就和你潜在泳池底部时的感觉类似。

在由碳氢化合物构成的湖泊和河流中跋涉会十分有趣。因为碳氢化合物比水重，你穿着保暖服就可以浮在黏稠的液体上。可以试试像海豚一样跳出液面。如果你安静而有耐心，就有可能从大体平静的海面上听到海浪撞击的声音。由于被异星的大气和低温扭曲，这种声音听起来低沉又陌生。海浪袭来的速度比在地球上慢，这是因为液体和空气都比较浓稠，而且风速也很慢。

在海滩上消磨时间的时候，你可能会注意到这里十分流行飞盘游戏。土卫六的大气层格外适合投掷圆盘，不过，经验再丰富的超级玩家也必须花点时间来调整自己的战术。超致密的大气导致了很大的升力、缓慢的降落速度和很大的空气阻力，你需要强有力的臂膀才能完成投掷。

除了海滩游客，大量的甲烷和乙烷湖还吸引了成群结队的泛舟者欣赏岸边美景和空中的薄雾。初次来到这里的人可能会惊讶于湖泊和河流上的小船有多低，而这些，都是因为甲烷的低密度。在低黏度的海洋中航行很容易。克拉肯海是热门的泛舟地，它是土卫六上最大的"烃"体，比地球上的里海略大，某些位置深达160米。

冲浪者也会聚集在这颗卫星上，因为土卫六以奇涛怪浪闻名。别误会，土卫六在冬天时风平浪静，波浪通常很小，只有几厘米高，移动速度很慢，大约为每小时 2.5 千米。如果你有幸赶上罕见的巨浪，那么在土卫六上冲浪会成为超凡脱俗的体验。当飓风在极地海洋上出现时，你会发现很好的拍岸浪。

风暴会带来甲烷骤雨，巨大的雨滴几乎是地球上雨滴的两倍大。由于浓厚的大气和低重力，土卫六上的雨下落得很慢，就像地球上的雪花一样。在风暴中，你可能会看到闪电，听到异星的雷声。

在土卫六的海滩上玩够了以后，你可以去赤道的沙丘。那里的沙子像麦片一样均匀，像沥青一样漆黑，有一种朴素的美。你可以乘坐漫游车探索它们，遇到陡峭的斜坡时，便停下来徒步上去。如果有机会，你可以尝试从空中俯瞰沙丘——它们在赤道上环绕土卫六一周。

探索这颗卫星的最佳方式之一是靠自己的力量飞行。像粥一样稠密的大气和低重力意味着穿上一套带翅膀的衣服，手臂上装上襟翼，也许再加上一个小小的推进器，你就能像鸟儿一样在空中飞翔。不过，因为重力很低，在厚厚的空气中挥舞滑翔机一样的翅膀会很困难。你的面板上可能会有汽油露珠凝结。要想升空，你得尽可能快地奔跑，然后启动助力推进器，跳跃起来，令双脚腾空。一旦离开了地面，你就需要尽力拍打翅膀，升上天空。当地面差不多消失在你下方浓浓的橙黄色雾霭中时，尝试俯冲下去，在某个甲烷湖表面掠过。

如果喜欢历史，你可以在南半球一个叫作"上都"的明亮地区参观惠更斯号探测器的残骸。它是首个在太阳系外围着陆的探测器，拍摄了首批土卫六表面的照片，展现了一片荒凉的多石地貌。

[土卫十八]

-

你可以在最靠近土星的卫星——核桃形状的土卫十八——表面近距离观察土星光环。土卫十八收集了原本会绕着土星构成一条光环的粒子，留下了恩克环缝。它在西方的名字源自希腊神话中牧羊的潘神，在现实中，这位"潘神"会利用重力，将光环粒子作为自己的羊群。

[土卫十七]

-

土卫十七明亮而冰冷。它的表面上到处都是空洞，我们建议你找一个不错的空洞，然后守在里面。这样你就可以在公转轨道上观察土星了。因为土卫十七的自转速度等于公转速度，你在环绕土星的过程中可以一直饱览土星的美丽景色。

[土卫十六]

-

这颗冰天雪地的卫星形似土豆，长135千米。土卫十六

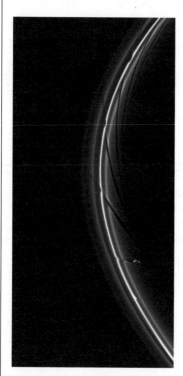
土卫十六的引力在土星环中荡起涟漪。

卡西尼成像团队／斯坦福空间计划／喷气推进实验室／欧洲航天局／美国国家航空航天局

或许很小，但它雕琢、塑造着近旁的F环。有人认为F环是土星最奇怪的光环。土卫十六的引力会在光环上产生持久的涟漪、断裂和扭结。你可以在这颗卫星上，抵近观赏F环复杂而迷人的动态。

［土卫三十五］

-

土卫三十五运行在A环中的基勒环缝内，清理着那里的微粒。它是在土星光环主体内运行的两颗卫星之一（另一颗是土卫十八）。身在土卫三十五上，你能欣赏到光环无与伦比的景观，构成其复杂波纹图案的冰粒、卵石和微小颗粒都会清晰可见。你还会在环缝边缘看到1000多米高的波浪，以及它们投在光环上的长长阴影。

［土卫一］

-

　　《星球大战》的忠实粉丝也许会愿意只为了看一眼土卫一而远赴 13 亿千米之外的土星。这颗直径为 200 千米的卫星看起来很像死星[1]，一颗巨大的小行星在其侧面留下了巨大的创口，形成了赫歇尔撞击坑。这一次撞击差点摧毁了土卫一，这个 140 千米宽的疤痕，让土卫一看上去恶狠狠的。

宏伟的赫歇尔撞击坑让土卫一看上去就像《星球大战》中的死星。

美国国家航空航天局／喷气推进实验室／美国空间科学研究所

　　尽管土卫一的轨道与卡西尼环缝相隔很远，土卫一却与后者的形成有关。卡西尼环缝边缘的粒子公转所花的时间恰好是在更远轨道上运行的土

―――

[1]　死星是《星球大战》中的战斗空间站，外形与土卫一十分相似，但早在土卫一的第一张特写照片传回地球之前，《星球大战》的第一部电影就已经上映。

这颗冰封卫星上的间歇泉会在其表面的裂缝中喷水，有一些喷发物甚至能脱离卫星的引力，成为土星 E 环中的冰粒。
——
美国国家航空航天局／喷气推进实验室／美国空间科学研究所

卫一的两倍。这意味着颗粒倾向于定期排列，每次排列成行时，它们都会受到额外的引力。随着时间的推移，这些额外的引力将光环粒子移出卡西尼环缝，留下了一个缺口。

[土卫二]

-

熠熠生辉的土卫二是土星卫星系统中的冰王。它只有

500 千米宽，体积相当于月球的七分之一，但它有着多种多样的地貌，包括巨大的裂缝和密集的撞击坑。虽然游客不得不与崎岖不平的地形做斗争，这颗卫星的景色却会让你和你的相机开心。

因为反射了太多的光，土卫二上格外冷，不过，它也并没有被冻成冰疙瘩。在潮汐加热——土星不均匀重力的挤压和拉伸效应——的作用下，土卫二的内部是温暖的，热量在其厚厚的冰层下维持着一层液态海洋。

由于这颗卫星的拉伸和压缩，你可以在它脆性的冰层上参观被称为"虎纹"的巨大裂缝。每条纹路都是一条深沟，约 130 千米长、1000 多米宽、500 多米深。它们在土卫二的南极附近很常见，你可以徒步游览，从最东边的亚历山大深沟开始，经过开罗深沟、巴格达深沟，最终到达大马士革深沟。条纹周围的区域虽然也很冷，但还是比其他地方暖和一些，而且那里密布着土卫二上最吸引人的壮丽景观——间歇泉。

土卫二上的间歇泉，以及它们所产生的羽流，是太阳系中的又一大自然奇观。一百多眼间歇泉排布在表面的裂缝旁边，时常喷发。站在间歇泉附近，你会看到一股液柱直直地冲向高空。喷流在你的头顶高高耸立，上升可达数百千米，水流喷出的速度达到了惊人的每小时 1000 多千米。水和蒸汽很快就会结冰，你会被一场轻柔而闪烁的冰晶雨覆盖。因为没有大气干扰，富盐晶体落下时会变成巨大的伞状，就和木卫一上的火山喷出的岩浆一样。这些淡水冰从土卫二上发射出去，不断为土星最外层的 E 环提供闪闪发光的冰粒子。

看过间歇泉之后，留意一下雪人撞击坑——这 3 个巨大的撞击坑排成一列，看起来就像个雪人。这些撞击坑里满是

土卫八的这个侧面看起来像被泼了颜料。

卡西尼成像团队 / 斯坦福空间计划 / 喷气推进实验室 / 欧洲航天局 / 美国国家航空航天局

细细的裂缝，就和这颗卫星上的大部分地区一样。

[土卫七]

-

这颗形状不规则的卫星表面布满了洞和撞击坑，看起来就像一块海绵。你永远也不会知道接下来看到的是表面上的哪一个部分，因为这颗卫星在其 21 日的公转周期中会以不可预测的方式翻滚。走路的时候要小心不要掉进深坑，否则你很可能会迷失在冰冷的地下洞穴迷宫中。

[土卫八]

-

土卫八是土星的第三大卫星，这个冰天雪地的世界看起来好像有人在其一侧扔下了一大罐黑漆。它朝向前方的半球呈棕黑色，边缘参差，后半球则是明亮的。土卫八上有一条高高的山脊，沿着赤道环绕四分之三圈。山脊上的山脉高出周围 20 千米，高度超过珠穆朗玛峰的 2 倍。这颗卫星上的重力不到地球上的四分之一，因此陡峭的山坡也比较容易攀登。站在山坡上，你会目瞪口呆，尤其是当你能够从有利位置上看到土星的时候。土卫八是最适合观赏光环的卫星，因为只有它的视野不受遮挡，土星看起来相当于月球在地球天空中大小的 4 倍。

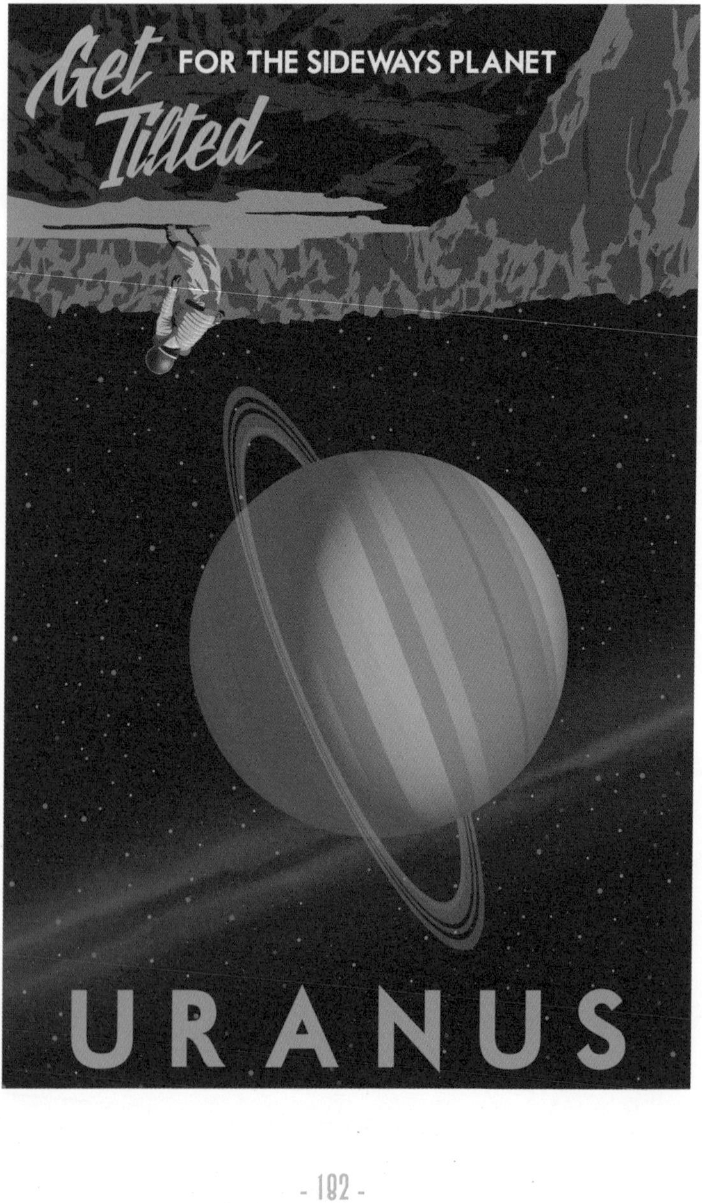
Get Tilted
FOR THE SIDEWAYS PLANET
URANUS

目的地：天王星
DESTINATION·URANUS

天王星是太阳系中的秘密珠宝。这是一颗以奇异的磁场、史诗般漫长的季节、行迹飘忽的内卫星，以及最显著的倾倒自转轴而著称的行星。与地球和太阳系中所有其他行星相比，它是躺着的，自转轴倾角达 98 度。你几乎不会注意到这种奇怪的现象，因为重力使你稳固停靠在它的气态天空中，而北方仍然被定义为这个翻倒的顶端。没有人知道天王星躺着遨游太空的确切原因，不过很有可能是因为在太阳系的形成阶段，一个地球大小的太空游侠曾与它发生了野蛮的碰撞。

等你见识了这个独一无二的度假目的地后，你踏上漫长天王星之旅所需的勇气便会得到回报。一旦到达，你就会发现许多让你开心的事物。在压力和重力会令你想到家乡的高度上，在它的某座空中城市里，你将沐浴在这个冰冷巨人气态甲烷天空的蓝绿色光芒中。

游客们也喜欢它的卫星——它们拥有的裂缝和峡谷足以让美国大峡谷相形见绌。那些气势宏伟的主卫星在西方被赋予了莎士比亚和 18 世纪英国伟大诗人亚历山大·蒲柏（Alexander Pope）笔下人物的名字——乌姆柏里厄尔（Umbriel，天卫二）、米兰达（Miranda，天卫五）、艾瑞尔（Ariel，天卫一）、泰坦妮亚（Titania，天卫三）和奥伯龙（Oberon，天卫四）[1]，它们成串的环形山和壕沟中隐藏着许多乐趣。

———

[1]　几位人物分别出自蒲柏的《夺发记》（The Rape of the Lock）和莎士比亚的《暴风雨》《仲夏夜之梦》。

直径：地球的 4 倍

质量：地球的 14.5 倍

颜色：淡蓝色

绕太阳运行速度：每小时 2.4 万千米

引力：一个 60 千克的人所受的重力相当于地球上的 53.2 千克重力

空气成分：浓厚，83% 的氢气、15% 的氦气、2% 的甲烷

构成：气体（以硅酸盐和铁镍合金为凝结核，中间为水冰、氨冰和甲烷冰，外有气体氢 / 氦覆层的冰粒）

光环：有

卫星：27 颗

一巴高度处的温度：零下 197 摄氏度

一日长度：17 小时 14 分钟

一年长度：84 个地球年

与太阳的平均距离：29 亿千米

与地球的距离：26 亿~ 32 亿千米

旅行时间：9 地球年可飞越

向地球发送信号的时间：152 ~ 168 分钟

季节：漫长

天气：美丽的极光和闪电，甲烷霾覆盖着云层中的风暴

日照：永恒的海上薄暮

独特景观：翻倒之姿

适宜：卫星体育、蹦极

　　不要被那些壮美的蓝色天王星图片愚弄了，这颗星球上的天气是太阳系中最奇怪的。它的每个季节持续 21 年——给"凛冬将至"这个短语带来了全新的含义——自转轴的极端倾斜也导致了一些奇怪的模式。在它长达 84 个地球年的一年中，南极有一半时间对着太阳，这意味着该地区的太阳会在天空中盘桓 15340 个地球日——而当地的一天只有 17 小时 14 分钟。在南半球的夏天，天空看起来就像黎明前的湖泊一样平静。当然，即使在夏天，这个湖也会结冰——而且，它并不是真正的湖泊，而是一个由搅动的冰和气体构成的球体，气体中含有氢气、氦气和甲烷。当季节变化时，这里时常出现黑点这种几千千米宽的风暴，而且还会有被太空气象学家称为"明亮伴体"的细小、明亮的白色甲烷云陪伴着它们。

　　在不同的季节，天气在平静的寒冷和狂暴的寒冷之间摇摆不定。如果你喜欢老式的极地寒流，你会发现天王星的温度非常适合。它距离太阳差不多有 30 亿千米，在太阳系内保持着最冷大气层的纪录——有时甚至比海王星还要冷。在长达 21 年的夏季热浪中，你永远看不到温度高过零下 184 摄氏度，这是地球上南极东方站记录到的最低温的 2 倍多。在天王星，太阳的亮度只有地球上的四百分之一，没有什么东西能够温暖你。

　　别忘了带上你的风衣。这里的强风是常态，最高风速可达每小时 900 千米。跟美国一般大小的风暴时常爆发，其携带的力量是地球上 5 级风的 2 倍。云层中电闪雷鸣，太阳活动旺盛的时期会有极光出现。

肉眼看去，天王星就是一颗纯净的蓝色球体。

美国国家航空航天局 / 喷气推进实验室 - 加州理工学院

何日启程 | WHEN TO GO

天王星上的一年太长了，严格来说，你可以在天王星游历许多个地球年，但只看到几个天王星月的流逝。旅游旺季每 42 个地球年出现一次，在至日期间，天王星的一个极点面对太阳，另一个极点则完全隐没在阴影中。想象一下你在中年时看到人生最后一次日落该是怎样的感受。随着至日临近，背对着太阳的天空就是这个样子。

如果你更喜欢体验长达数十年的仲夏日光，可以计划一下，在春分之后不久到达向日极点，这样一来，你就会有足够的时间准备在 2028 年左右庆祝天王星的至日。那时候，只在赤道附近才会有日和夜的区分。由于天王星的快速自转，那里的白天就像地球极圈附近的冬日白昼一样短暂，不过说实话，当你距离太阳 30 亿千米的时候，白天和黑夜也没有多大区别。

如果你想节省燃料，最好在可以利用土星或者木星引力助推的时候前往天王星。不要忘了给每条路径留出大约 10 年的旅行时间。风暴追逐者应该计划在 2049 年到达，那时会有大量的风暴活动。

漫漫长路 | GETTING THERE

如果计划得恰到好处，你就可以在不到 10 年的时间里完成 30 亿千米的天王星之旅。考虑一下你打算休假多长时间，是否可以在途中工作或者继续接受教育，以及是否还打算回来。

核弹驱动的火箭将是你的最快选择，而且它提供了返程的可能性。如果你想在老得不能回家之前有机会在地球上看到你所爱的人，这种风险还是值得一冒的。

对于那些感觉长途旅行很无聊的人来说，低温保存是一个方便的选择。低温保存组织且不会造成损伤的玻璃化程序，已经被成功地应用于器官移植手术，尽管全身恢复……还不好说。这项技术还没有完善，所以对那些声称可以保证复原的公司要留个心眼。留意宣传材料上的小字，因为复原的保证搞不好要等 50 ～ 100 年才能生效。如果他们确实能做到，你就可以在不缩短寿命（太多）的情况下踏上征程

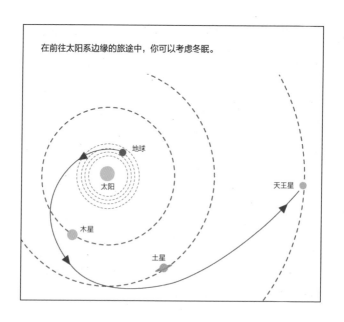

在前往太阳系边缘的旅途中，你可以考虑冬眠。

了。你可以选择志愿参加某个研究项目以换取太空旅行费用，选择最适合你的方案。

对于那些希望在旅途中保持清醒和活跃的人来说，你的飞船将提供与游轮类似的便利设施，只是个人空间要小得多。你能够掌握来自地球的新闻，追剧追到最新一集。不过要记住，在远离地球的过程中，你必须应对越来越长的通信延迟。

到达之后 | WHEN YOU ARRIVE

终于，你到达天王星了！不管你已经在复古风格的原子火箭上老了 10 岁，还是通过玻璃化过程沉睡到了未来，此时此刻你都应该庆祝——并且设定你的时钟。虽然天王星上的一昼夜只有 17 小时 15 分钟，游客还是应该继续使用地球时间，这是因为，嗯……你是否知道晚上身在平静的大海中是什么感觉？就是那种地平线消失不见，物体轮廓仅隐约可辨的时刻。天王星上最亮的时候不过如此。最亮的时候。你可以称之为永恒的海上薄暮。不用担心，你可以在遍布全球的各种晒黑沙龙和日光浴室里获得日常所需剂量的维生素 D。它们就像地球上的星巴克一样，无处不在。

从远处看，天王星就像一枚毫无特色的蓝色巨球。只有非常接近时，你才能看出这颗星球是一片无边无际的蓝色浓雾汪洋，轻轻起伏着伸向四面八方，直至地平线。

一旦你到了天王星，接收一条来自家里亲朋好友的消息需要 3 个小时（确切地说是 2.39 小时到 2.93 小时之间）。在天王星上发了朋友圈可别指望有人很快点赞。

何以代步 | GETTING AROUND

在轨道上欣赏完天王星之后，你便可以坠入它疾风呼啸的天空，近距离观察淡蓝色的云。这里没有坚实的土地，你必须待在空中城市里。

如果你想悠闲地飞越由氦气和氢气构成的大气层，可以选择飞艇。要想更快地旅行，你可以乘坐飞机。赤道上空的主射流向西流动，与行星的自转方向相反。

看够了朦胧的天空，你必须从空中发射，回到轨道上。参观天王星各种各样的

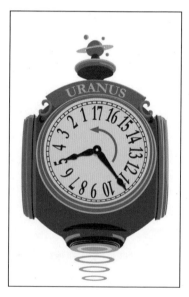

卫星时，你可以租一辆漫游车或者跳跃机。

有何好看 | WHAT TO SEE

[赤道波]

-

乍一看，天王星就像美国内布拉斯加州无边无际的玉米田一样平坦无聊，但是如果花点时间仔细观察，你就会发现一些有趣的事请。这颗星球上最奇怪的诱人景观之一，在赤

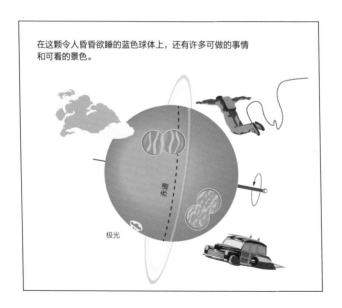

在这颗令人昏昏欲睡的蓝色球体上，还有许多可做的事情和可看的景色。

赤道

极光

红外波段的图像显示，天王星平静的外表下隐藏着波涛和斑块。

美国国家航空航天局／欧洲航天局／劳伦斯·思若莫夫斯基（L. A. Sromovsky）／帕特里克·弗赖伊（P. M. Fry）／海蒂·哈梅尔（H. B. Hammel）／伊姆科·帕特（I. de Pater）／凯西·瑞吉斯（K. A. Rages）

道以南环绕全球的天气现象，只能在红外波段下被观察到。你可以戴上能够接收肉眼看不到的长波光线的特殊护目镜。护目镜会增强光线，让你看到更多细节，就像夜视镜一样。只有这样，你才能看到大气层中那些扇形的波浪，欣赏千回百转的美丽图案。记住，要在安全的距离内观察，否则再往前，你就要把飞船开进是非之地了。

［狂乱的北极］

在赤道附近饱览过热带波涛之后，你可以转向北边，经过暴风骤雨的危险区域，到达旋转的北极点。就跟木星和土星的北极差不多，这个区域里到处都是旋涡，高高的云团和大气空洞混合在一起，让那里呈现出可爱的斑点外观，也会让你拥有一次狂野的旅行。就像在所有行星上一样，你需要时刻留意天气预报。哪怕已经存在了许多年的风暴也会突然消散，而新的风暴可能会随时出现。

[**光环**]

-

天王星有 13 条光环，构成它们轨道的物体的大小，从沙粒到小沙发不等。光环影影绰绰，比木炭还黑。你可以随着石块一起飘荡，一边欣赏下面的甲烷雾霭，一边享受共享轨道上的那份宁静与孤独——你现在是光环的一部分了。

美国国家航空航天局 / 欧洲航天局 / 马克·肖沃尔特（M. Showalter）

[**钻石湖**]

-

珍贵的宝石像冰山一样漂浮在液面上，还有什么比这样的液态钻石湖更吸引人呢？人们认为，每一颗气体行星内部都有这样一个神奇的所在。然而，不要屈服于那些奢华湖泊的诱惑，你一定会在徒劳的接近尝试中灭亡，被巨大的压力和温度压碎并熔化。

有何好玩 | ACTIVITIES

[游览"天空威尼斯"]

-

你是否有过睡在云层里的梦想？天王星上空的悬浮飞艇系在一起，创造了一个城市的建筑奇迹，保证能让你梦想成真。狭长的气球就像威尼斯运河里的平底船，你可以在其中穿行。这些飘浮的城市在每个天王星日，都会随风全球漂流一次，而在两个至日之间，还要跟随着微弱的阳光从一个极点迁移到另一个极点。巡航高度的气压与地球海平面相当。因为一颗行星所产生的类似地球的天然重力引发了乡愁？身在天王星的甲烷云层中，你的感受大抵如此。

不是所有的事情都会让你想起家乡。像它的近亲土星和木星一样，天王星寒冷的上层大气由氢气构成，其中混合着氦气和甲烷。大气中的气体吸收了所有的红光，使得天王星呈现出标志性的蓝色。下层大气则展现出这颗行星流动的一面，那里有水、氨和甲烷的冰冷混合物。

氢氧混合物容易爆炸，因此充满氢气的大气会造成一定的安全风险，但它提供了燃料来源，可以让你飞出天王星大气层，或进行卫星支线游。

你可以通过不同的方式享受身处高空城市的乐趣，比如在穿戴停当后沿着某个著名的广场来一次浪漫的散步，凝视天王星令人陶醉的蓝色景观。晚上散步时不需要带加压套装，穿着保暖套装，戴上呼吸包，就可以看风景了。你可以留意下面云层间的闪电，在太阳照到极点附近时，你还会沐浴在由那里的紫外能量产生的、名为电子辉光的迷人极光里。

[在氦氧吧里放松身心]

-

充足的氦气保障了整个浮空城市里充满活力的夜生活。就像地球上的氧吧一样，顾客可以从不同口味的氦氧混合物中进行选择。一天的气球之旅结束后，你可以靠吸入氦气度过一个傻笑不已的夜晚，这是一种非常有趣的放松方式。每晚的高音卡拉 OK 比赛很快就会爆满，竞争也会十分激烈。大多数氦氧吧都有纯正的氧气供你选择。

[飞艇旅行]

想探索天王星朦胧大气层的奥秘吗？乘坐着飞艇，迷失在浅蓝色的迷雾中吧。这些能够在这颗行星奇怪的大气层中飞行的载具经过了特别设计，看起来就像潜水艇和热气球的结合。大多数空中城市都有港口，那里挤满了想和你做生意的当地导游。你可以待在自己的私人舱室里来个内层大气一日游，或者参加某个团体游，近距离观赏天空。

宁静而永恒的蓝色星球会在你下降的过程中展现出惊人的细节。起初，你感觉像是被蓝天包围。蓝色的形成一方面与同样造成了地球蓝天的散射有关，另一方面是因为甲烷阻挡了红光。你可能会发现自己为地球而生的头脑在跟你开玩笑，让你认为下面有一片朦胧但坚实的土地。只有当你终于冲破浓厚的臭气，上方的光线暗淡下来时，你才会意识到下面确实没有坚实的地面。最终，漫漫无垠的蓝色流云之海将分裂成一层白色的甲烷云。闪电过后，你会听到天王星雷鸣的奇异变音，那是声调随温度和空气密度变化的结果。在白色甲烷云之下，你还会穿越更多的云层。黄色氨云之后是红色氢硫化铵云。不用担心，你的加压舱会保护你免受臭鸡蛋味道之苦（希望如此）。在这些臭烘烘的云层之下是你熟悉的白色水冰云。在那个位置上，你的身体下方只有一片更深、更暗、更厚的阴郁海洋。

　　水、氨气和甲烷构成的高压海洋之下是广阔的液态金属,它的样子就像水银,但实际上是氢。不过,你的飞船肯定到不了那里就已经内爆了。再往下是相当于地球质量10倍的熔岩。即便你的太空舱能承受住天王星深处的极端压力和温度,你也需要回头了,否则便有可能永远困在它的高重力里。

[跃入深渊]

-

　　系上缆绳,从遍布全城的众多探险站中选一个跳下去。你最好提前付款,免得等你明白了头朝下跳进虚空意味着什么后会改主意。踏出平台跟走下船板并无太大区别，除了你不是落入冷冻盐水里，而是会掉进迷蒙的烟气当中。当你在权衡是否要退出时，旅行团成员会在急切的等待中盯着你。而一旦你跳下去，时间就会停止，与你同在的，只剩下天空之神。

附近有什么 | WHAT'S NEARBY

天王星有 20 多颗卫星，莎士比亚和亚历山大·蒲柏的书迷肯定会喜欢它们的英文名字。每一颗卫星都有自己独特的魅力，其中最小的卫星的直径只有不到 20 千米。不管你是打算周末远足还是准备在卫星上玩乐几个月，总有某颗卫星能够满足你的需求。天王星的卫星是太阳系中某些狂热运动爱好者的家园。你可以找到足够开展溜冰、曲棍球、网球、排球、高尔夫球和攀岩等运动的卫星级设施。

考虑一下周末去内卫星旅行，比如去天卫六、天卫七或者天卫二十六。在那里，你可以近距离观赏天王星的光环系统，而且还有一丝令人振奋的危险。有传言称，天卫十可能会在未来一亿年内与天卫九或者天卫十一相撞。

［天卫三］

-

天卫三得到了莎士比亚笔下精灵女神的名字，而它在天王星的卫星中也算是个美丽的女王，因为在 1 亿多千米的范围内，数它的个头和质量最大，而且它拥有太阳系第八大卫星的头衔。

在它坑坑洼洼的表面上，一个热门的旅游景点是梅西纳峡谷（Messina Chasma）。这个长度超过 1500 千米的峡谷比美国大峡谷长 2 倍、宽很多倍。你可以乘坐漫游车探索其边缘，在一天的漫长旅行后，找个面向家庭和夫妇的冰旅馆放松一下。蒸个桑拿，恢复精力，再泡一下二氧化碳冰浴。睡觉前，读一读《仲夏夜之梦》中你最喜欢的段落，思索一番，然后，你这个卑微的旅行者，将在书中精灵女神的护佑下入眠。

想找一点刺激？你可能会想从天卫三高得惊人的悬崖上跳下去。有一处悬崖高出周围地面 4000 多米。在这个一般人体重不会超过 5 千克的低重力环境中玩玩蹦极吧，那肯定会是一次难忘的跳跃。尽管专家认为天卫三表面蓬松，你还是要确保绳子安全可靠，因为即使在低重力环境下，如果跌落的时间足够长，你仍然会达到足以伤害自己的速度。在天卫三上坠落 4 千米之后，你将以每小时 16 千米的速度落地。

一定不要错过北端，那里有这颗卫星上最具辨识度的环形山。以哈姆雷特母亲的名字命名的格特鲁德环形山宽 300千米。附近的厄休拉大约是它的一半大，西边的卡尔弗尼亚拥有奇怪的椭圆形峰。注意到命名趋势了吗？它们都是莎士比亚戏剧中女性角色的名字。[1] 这种做法源自天王星发现者威廉·赫歇尔之子约翰·赫歇尔（John Herschel），正是他最早负责为这些卫星命名的。

[天卫四]

-

如果以莎士比亚笔下人物的名字命名的撞击坑让你着迷，那就去天卫四吧。它的英文名来自《仲夏夜之梦》中泰坦妮亚（天卫三）的丈夫仙王奥伯龙（Oberon）。天卫四表面布满了撞击坑，古老的峡谷和撞击坑纵横交错，一方面让它显得与众不同，另一方面也暗示了曾经的重大地质活动。撞击坑数量众多，但都很浅，其中最大的是著名的 200 千米宽的哈姆雷特撞击坑。90 千米宽的奥赛罗撞击坑也在那里。天卫四上最大的莫姆尔峡谷（Mommur Chasma），比天卫三上的梅西纳峡谷短，深度却是它的 3 倍。

登山者会喜欢东南部一座尚未命名的山峰，它比地球上的珠穆朗玛峰还要高出 2000 米。你有可能成为第一个爬上去的人，说不定它会以你的名字命名。

和附近的许多其他卫星一样，天卫四表面有大量的水冰（不过没有干冰），夏天温度为零下 184 摄氏度，冬天可低至彻骨的零下 240 摄氏度。

---

[1] 厄休拉和卡尔弗尼亚分别出自莎士比亚的戏剧《无事生非》和《裘力斯·凯撒》。

[天卫五]

你渴望奇异之物吗？去见见天卫五吧。天卫五是一颗矮胖的卫星，灰色，多孔，仿佛曾在遥远的过去被撞得四分五裂，然后又被拼了回去。它是太阳系中最神秘的卫星，对于最专注的研究人员来说，它的表面也是个难解之谜。天卫五上有悬崖、断层、山脊、撞击坑、陡坡和峡谷。它的峡谷有长有短，有一条峡谷旁边的悬崖比珠穆朗玛峰还高。

有时被称为"蛋头先生"的天卫五表面崎岖不平，仿佛它曾经分崩离析。

美国国家航空航天局／喷气推进实验室－加州理工学院

它最显著的特征是印威内斯冕状物（Inverness corona），这是一种由上涌的冰造成的人字形地貌。埃尔西诺和阿登是另外两个著名的冕状物。天卫五上的重力不到地球上的1%，你的跳跃高度可以达到地球上的100倍。不怕死的人可能会考虑在维罗纳卢比蹦极，那里是一座20千米高的悬崖，是整个太阳系中最高的悬崖！

目的地：海王星
DESTINATION·NEPTUNE

海王星是一颗无垠的蓝色星球。这颗距离太阳45亿千米的冰巨人吸引着那些追求强烈孤独与宁静黑暗的人。它是一个僻静的所在，你不会被成群结队的游客打扰。蓝光荧荧、气滚云翻的海洋里蕴藏着黑暗。你会被海王星引人入胜的云景迷住。与天王星相比，它的体积稍小，密度更大，风力更猛，颜色更蓝，重力与土星相似。它拥有一个奇怪的磁场、14颗卫星和几条纤细的光环。当你穿行在它朦胧的大气层中，或者在附近某颗卫星上欣赏它无边的蓝色时，你会好奇自己为什么没有早点来到这颗太阳系中最壮观、最神秘的行星上。

哪怕这颗盘旋的蓝色宁静球体看起来无害，你也不要被它的颜色给麻痹了。和木星、土星、天王星一样，它是一颗危险风暴肆虐的行星，而且这些风暴拥有太阳系中最快的风速。你说不定会花几天、几周或者几个月的时间，在它令人兴奋的风里扬帆飘游。

速览

AT A GLANCE

直径：地球的 3.88 倍

质量：地球的 17 倍

颜色：比天王星更蓝

绕太阳运行速度：每小时 1.9 万千米

引力：一个 60 千克的人所受的重力相当于地球上的 67.6 千克重力

空气成分：浓厚，80% 的氢气、19% 的氦气、1.5% 的甲烷、痕量的水和氨

构成：气体

光环：有

卫星：14 颗

一巴高度处的温度：零下 201 摄氏度

一日长度：16 小时 6 分钟

一年长度：163.8 个地球年

与太阳的平均距离：45 亿千米

与地球的距离：43 亿~ 47 亿千米

旅行时间：8.7 个地球年可飞越

向地球发送信号的时间：241 ～ 258 分钟

季节：漫长

天气：多云

日照：比地球上暗淡 900 倍

独特景观：太阳系的最后一颗行星

适宜：郁郁寡欢

海王星寒冷而多风，一如你对太阳系最后一颗行星的想象。在距离太阳45亿千米的地方，零下200摄氏度的温度实属正常。这个冰巨人是由气态氢、氦和甲烷构成的旋涡。甲烷带给它美丽的蓝色面目，这也是它比天王星稍微暖和一点、蓝一点的原因之一。尽管外表寒冷，海王星有着一颗炽热的心。过热的中心和寒冷的外部之间的差异，驱动了海王星上肆虐的风暴。

一般来说，你只能航行在海王星高空浓厚、迟缓的乙烷、氰化氢（因其苦杏仁味而闻名）和甲烷迷雾当中。再往下，温度也会骤降，气态迷雾让位于冰冷的氨和水云。这些云有时会呈现带状，在下面的蓝色深渊投下阴影。

和其他气态巨人一样，要想在海王星深不见底、令人不安的天空中找到自己的方向，你需要参考气压与地球海平面处相同的高度。当你落到这一点以下时，烟气和云层会变成冰冷的"海洋"，不过它和地球上的海洋全无相似之处。构成这片海洋的不是液体，而是未结合氧、氮、碳、氢以及氨和甲烷的化合物。它们的形态介于固体、气体和液体之间，共存于一片混乱空间。如果你下落得足够深，压力会飙升到地球表面的10万倍。落入海王星炽热的地幔后，你会最终抵达它的小核心——一枚由岩石和冰构成的硬球。

这里的季节比围绕太阳运行的任何行星都长。海王星的一年持续将近 165 个地球年，一个春天便可长达人的半生。海王星的自转轴倾角为 28 度，得到阳光较多的地区云层会变亮，人们可以由此注意到季节的变化。这里全年都有风，而且风速接近超声速。

当你向北或者向南移动时，一天的长度会有变化，这个所有气态行星都具备的特征在海王星上格外明显。虽然官方公布的一天长度是 16.11 个小时，但这实际上只是不同纬度上的所有气体旋转一周所需的平均时间。两极在短短 12 个小时内就可以转一圈，而赤道上的物质则需要将近 18 个小时。从南纬 50 度到北纬 45 度，赤道附近环绕着一条厚厚的中央气体带，它以接近每小时 1500 千米的速度向东移动。如果你想延长一天的时间，可以选择前往。

在海王星强大却稳定的风中，状如黑斑的风暴会突然出现，破坏海王星的平静氛围。它们是巨大的旋涡，周围有光芒四射的云团陪伴。与木星上的风暴不同，这些风暴的形成和消散更加频繁。

何日启程 | WHEN TO GO

考虑到它的偏远、极寒和多风的天气，谈不上有什么拜访海王星的好时间。不过也没有什么坏时间。例如，如果你想在北半球的夏天去，这个季节会持续大约 40 年。即使在夏天最热的时候，你也无法逃脱威胁生命的严寒。

虽然在哪个季节前往并不重要，但风暴观察者更喜欢季节变化时的海王星，因为那时形成风暴的可能性更高。海王星下一次北半球春分将在 2044 年发生，要想赶上，你应该在 2030 年之前动身。

漫漫长路 | GETTING THERE

作为太阳系中最后一颗正式的行星（抱歉，冥王星！），海王星是旅费最昂贵的行星之一。它远在天边，以 1.9 万多千米的时速绕着太阳运转（地球的公转速度是每小时 10.7 万千米），所以如果你有兴趣放慢速度来个近距离观察，你就必须带上大量燃料。

为了在 43 亿千米的旅程中节省燃料，你可以从木星获得引力助推。你的旅途中最激动人心、最值得记住的部分就是这些像弹射弹弓一样的动力，你被一颗从附近经过的行星用引力甩了起来。在接下来的几个月里，你将饱览引力助手木星的美丽景色。

你也可以获得其他行星的引力助推——在 2020 年到 2070 年间，你能向它们借力的机会只有大约 24 次。不要等太久才预订机票。你的平均飞行时间将近 10 年，因此假期套餐包含 20 年的最低承诺。尽管借助新的，也颇具试验性的离子驱动技术，你或许能在两年内抵达，但最好还是现在就开始规划。

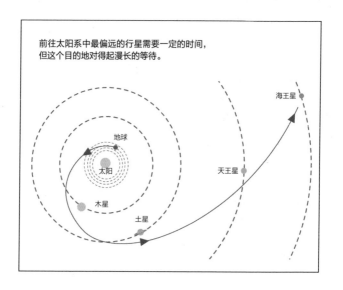

前往太阳系中最偏远的行星需要一定的时间，
但这个目的地对得起漫长的等待。

到达之后 | WHEN YOU ARRIVE

靠近海王星的时候，你会看到它纯净的蓝色光华上点缀着熙熙攘攘的深紫色风暴。你要做的第一件事是从轨道上跳下来，近距离观察它们。在海王星的大气层中，你会比在地球上稍重，不过变化很小，经过长时间的微重力旅行后，你可能不会注意到这些。有些人喜欢回到与地球相近的引力环境中，另一些人则觉得这很压抑。无论你在探索海王星的天空时选择乘坐飞机还是飞艇，一定要稳住自己，应对强烈的颠簸。海王星上的风是太阳系中最强劲的。

你很快就会与甲烷亲密接触。正是由于甲烷散射光线的方式，海王星才呈现出深蓝色。这种有害气体约占海王星大气的 1.5%。如果过多的甲烷进入你的宇航服或者栖息地，便有可能造成危险的火灾，但是它不会在外面燃烧，因为海王星大气中的氧气太少，无法让火焰维持。

何以代步 | GETTING AROUND

你需要一艘足够结实的飞艇来承受海王星创纪录的疾风。在赤道附近，风速会超过每小时 1900 千米。一旦你在高速行驶，你就不会注意到自己的速度有多快。只有风向改变时，你才会意识到自己在移动。高空的风速较慢。随着你下降或者向两极移动，风速会越来越快。像天王星一样，海王星上也有厚厚的喷射流，横跨赤道的那条向西行进。

海王星上的氦气含量是太阳系所有行星当中最高的 19%，其大气的其他部分主要是更轻的氢气。这一点，再加上海王星的引力，决定了这里的大气并不算稠密，因此让飞艇浮在空中是有难度的，除非你选择充满了温暖空气的巨型气罩，或是完全腾空内部空间的真空飞艇。

作为一个替代选项，你也可以乘飞机旅行。只要你有一台不需要氧气就能工作的发动机，你就应该可以停留在空中。

如果你计划去海王星阴暗的深处探险，你需要一艘能够承受高压的结实飞船。最好不要冒险降到压力相当于地球海洋1千米深处的位置以下。继续下潜，你的飞船会变得不稳定。在轻松的假期里，处理一艘内爆的飞船可算不上什么开心事。

等你准备好前往海王星的光环、环弧和卫星时，你需要一艘比你之前从地球发射的飞船强大两倍的火箭飞船。最近的海卫三离海王星只有 2.4 万千米。海王星最大的卫星海卫一在大约 35.5 万千米之外，这一距离比地月距离略近。

有何好看 | WHAT TO SEE

[大暗斑]

-

木星上的大红斑吸引了所有的关注，但是海王星也有很多自己的斑点。发现于 1989 年的大暗斑撼动了海王星的天空。它膨胀到和地球差不多大——相对于海王星来说，它正如同大红斑之于木星的大小。海王星甲烷层中 13000 千米宽的深蓝色空隙打开了通向这颗星球更深、更暗处的窗户。在几年的时间里，它搅动着海王星的大气层。与木星上的大红斑不同，它以可预测的模式变形、伸展，以 8 天为周期收缩并拉长，就像一个呼吸着的巨人。在其他地方都没有发现这

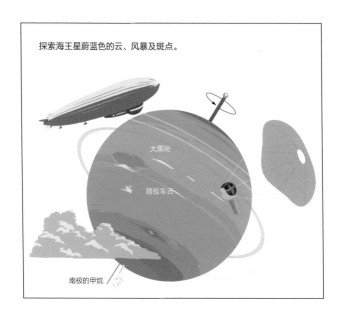

探索海王星蔚蓝色的云、风暴及斑点。

大黑斑

踏板车云

南极的甲烷

种现象。这个大气涡旋与海王星的自转方向相反，以每小时 108 千米的速度向西飘移，每 18 个小时完成一次环绕全球的旅程。木星的大红斑相对于周围气体的速度仅为每小时 10 千米。虽然宽度比大红斑小，但据风暴观察家说，这个风暴的深度可能超过了大红斑。它的边缘有一条长长的卷云，这是它忠实的伙伴。

[北方大黑斑]

-

大暗斑早已消失，但如果幸运的话，你将见识到海王星上的另一个大黑斑。它们来来去去，比木星上的风暴更频繁，每次出现后会持续几年时间。考虑到地球上最长命的飓风只持续了 30 天，这还是很了不起的。

北方大黑斑虽然比大暗斑稍小，其覆盖面积却相当于美国新墨西哥州。它周围有明亮的小伴云。自从早期的机器人探险家在 20 世纪 80 年代传回海王星的图像，人们便追踪过大约十几个巨大的黑斑。最近有报道称有一个像美国那么大

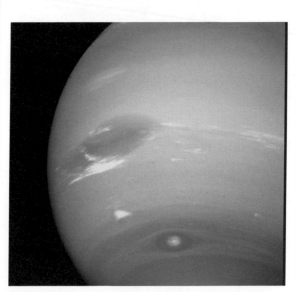

远远望去，海王星上的风暴十分温和，但其实它们在太阳系中最为猛烈。

旅行者 2 号团队 / 美国国家航空航天局

的黑斑。你也可以寻找所谓的"踏板车云"，这种白色的小云团在海王星的高层大气中形成，因其移动速度比黑斑还要快而得名。

没有谁能忍着不拿出相机，对着海王星的黑斑大拍特拍。不过要记住，你必须等上 8 个小时才能知道地球上是否有人给你拍摄的风暴照片点了赞。

［南极特征］

-

海王星正在从南极泄漏甲烷，就好像吃了太多的豆子。附近有一个类似卷云的活跃弧形云，叫作南极特征。那里比其他地方暖和一点，能够令悬浮在大气中的冰晶变成气体并逃逸。

［神秘的内部］

-

因为在海王星内部的极端压力下生存非常困难，所以有很多关于它下面隐藏着什么的谣言。在气态的大气层下面，海王星不仅是一个冰巨人，还是一个流体巨人。人们认为它有一层由液态水和氨构成的高压海洋，这倒是应了它名字的由来——罗马海神。

有何好玩 | ACTIVITIES

[观看海王星的光环和环弧]

-

假如那些让海王星的光环得以命名的早期天文学家——伽勒（Johann Gottfried Galle）、勒维耶（Urbain Le Verrier）、拉塞尔（William Lassell）、阿拉戈（François Arago）和亚当斯（John Couch Adams）——知道了人类现在可以沐浴在海王星的蓝色光芒中，近距离观察它的环弧和光环，他们会有什么感想呢？这样猜测一下会让你觉得很有意思。海王星的光环是由暗红色的微粒组成的，微粒中含有水冰和大量灰尘。海王星内部的小牧羊犬卫星将它们维持在适当的位置上。还有一条未命名的尘埃环在赤道上空环绕着这颗行星。环弧，也就是不完整的环，在稀疏的光环旁边环绕着海王星。环弧中的巨大间隙是由附近卫星的微小引力造成的。

[游览雾霭和云层]

-

看向海王星的时候，你会透过它同温层的透明大气望进对流层，那里充满了云层和浓密而缓慢的雾霭。海王星空气中弥漫的甲烷烟雾是非常自然的，尽管和地球上拥挤城市里浓浓的雾霾一样令人不悦。它并不像看起来那么糟。甲烷气体仅占大气的 1.5%，这足以使得海王星呈现出蓝色。

赏云者会乐于将海王星上的云层构造与地球天空中的云进行比较。虽然看起来就像地球高空常见的细小卷云，这里的云其实是由成群结队以危险速度行进的甲烷冰晶构成的。状似透镜的荚状云呈现出很多层次，可以供人拍出壮观的照片。

你可以凭借泛蓝的色泽识别甲烷云。它们构成一层薄薄的斑驳，刚好位于一巴高度——压力相当于地球海平面上大气压的高度——之下。下面是浓密的硫化氢和氨云。在大约50巴的高度（相当于潜到地球海洋中接近500米深）处，是由水构成的云。

[搜寻难以捉摸的极光]

-

想带指南针就带着，但是不要指望用它导航。海王星上的磁场虽然很强，却与地球上的磁场完全不是一回事。它离表面很近，比我们习惯的要复杂。人们认为它受到了行星内部深层金属氢的影响。这里的情况与其他巨型行星相似。在那么高的压力下，氢只能以金属状态而不是分子状态存在。这里的电子自由流动，会对导航造成干扰。

磁场并未根据海王星地理极点的位置分布，而是与自转轴有47度的夹角，正对着太阳。这就相当于地球的北极挪到了纽约、罗马或者北京那么靠南的位置。海王星的磁场也偏离了中心，不像地球一样位于中间。这里的磁场完全不可预测。如果你带着指南针，它会朝着不同的方向瞎指一通，让你感觉自己置身于外星百慕大三角。

由于这些怪异的磁场属性，寻找海王星难以捉摸的暗粉色极光之旅会更加令人兴奋。在磁场扭动、发生转向时，极光也会变化，它们以不可预知的路径在海王星上游荡，让人很难确定该往哪边找。

[收听闪电]

-

带上一台便携式收音机，你就可以听到海王星本身的声音了。它在低频波段发射无线电波，频率在 6 ～ 12 千赫之间。信号的强度随着行星的旋转而变化。一天中的某些时间比其他时间更适合收听。

海王星上闪电的强度与地球上差不多。当它来袭时，你也许能够使用非常低频率的无线电接收器捕捉到一声啸叫。那是一种强烈的高音爆鸣，在雷击之后逐渐减弱。闪电平均每小时出现 100 次，所以经过练习，你应该可以捕捉到一次。

附近有什么 | WHATS NEARBY

海王星有 14 颗卫星，其中大多数是岩石碎片，最大的不过 2700 多千米宽。实际上，其中有半数几乎算不上卫星。

它们被称为被捕获物或碰撞碎片，只有几十千米宽，离海王星达上千万千米，绕它运行一周需要好多年。你可以忽略那些遥远的石头。没有人会真的去那里。

你可以靠近海王星，探索它所谓的规则卫星——或者叫内卫星。这些卫星距离海王星仅几万千米，拥有很多值得探索的地貌。在内卫星的有利位置上，你可以饱览海王星暗淡的光环。

[海卫一]

-

海王星最大的卫星海卫一是一个冬季仙境，上面覆盖着氮气、甲烷和一氧化碳冰，以及一层薄薄的、干净而新鲜的氮和甲烷雪。随着冰的沉降，海卫一上的撞击坑和峡谷都被填平了，这意味着你不必担心任何峭壁、山脉或者深谷。

海卫一是太阳系第七大卫星，直径只有 2700 千米，比木星的伽利略卫星、土卫六和我们的月球都要小。然而，它是太阳系中唯一一颗公转方向与母星自转方向相反的大卫星，这表明它是一个入侵者，而不是该地区的原住民。大多数现代卫星与它们所环绕的行星都是同时形成的，而海卫一这样的卫星则是被捕获的物体，偶然游荡到了行星附近，它可能是在前往其他地方的途中，被海王星的引力拉了过来。

随着时间的推移，海卫一将把海王星微小的内卫星清除干净。大约 35 亿年后，整个卫星将被海王星的引力撕裂，形成一个也许比土星著名的光环还要亮的光环。如果你待得足够久，这才是真正值得期待的事情！

如果你现在去海卫一，你会发现它比大多数卫星更亮、反光更强，也更冷，天气预报经常报出零下数百摄氏度的温度。那里的风并不可怕，它们多半以每小时 18 千米的速度向西卷去，所以不必担心风寒。天上通常没有云，但是常有薄雾。小冰块在你的脚下嘎吱作响，那里覆盖着一层厚厚的脏冰。大气十分稀薄，其中 99% 的成分是氮气，此外有痕量的甲烷和一氧化碳。大气层中被称为热层的部分散发着奇异的空气辉光，它是由于紫外线与海王星磁层中的带电粒子相互作用，而后者又与海卫一的高层大气相互作用而形成的。

海卫一的大气虽然稀薄，但也足以让人在表面观察到美丽明亮的流星，幸运的话，你还有可能看到一颗流星一路落到地面。

这颗卫星有大气层，也有自转轴倾角，因此拥有季节和天气。但是它不同于母星，因为自转轴的倾斜方向不同。海卫一上的季节很长，且与海王星的季节明显不同。有时候，它的天气比海王星更极端，有时候却略温和一点。在海卫一上，所谓寒、暑全看个人理解——毕竟，海卫一上某个炎热夏天的平均温度可能是零下 233 摄氏度。

路途漫漫，有没有想念新鲜水果？去布班贝区吧，在那里，你可以观赏到这颗卫星哈密瓜地形的最佳景致。你可以沿着蜿蜒曲折的深沟游览，它们可能会让你想起土卫二上的虎皮条纹。十几千米宽的凹槽延伸几百千米甚至上千千米，有着仿佛轮椅坡道一般的缓坡。最值得参观的是南部的博因沟和北部的斯利德沟。

布班贝以东是莫纳德区，那里有崎岖不平的凹槽，或者叫壕沟。如果你去过水星，这些地貌在你看来会很眼熟。你可以找一下名为辛和阿库帕拉的奇怪蘑菇地貌。

几百米高的峭壁包围着圣灵和阴曹平原。除了个别凹陷和一两个撞击坑，它们是完全光滑的。如果你在这些平原上行走，要记得穿上你的长筒靴，因为地表很可能已经被冰泥占领了。

南极附近的乌兰加覆盖着粉红色的冰帽。它的边缘颜色更暗、更红，这可能是紫外光与甲烷相互作用的结果。微小的甲烷冰晶体散射了照过来的阳光，这里处于永恒的仲夏时节。虽然天空看起来比地球上的夜晚还要黑，但阳光照耀这个地区已经有 100 多年了。

海卫一最吸引人的地方之一是它的氮冰间歇泉。地表下30 米处有一层液态氮供养着这些间歇泉。这颗卫星虽然冷，压力却足够高，可以让氮气变成液体。当压力降至其通常大气压的十分之一时，氮气会以每小时 480 多千米的速度通过间歇泉冲出，将物质喷到几千米的高空。在南纬 50 度，你会看到以祖鲁水精灵的名字命名的喜力间歇泉和以汤加海神命名的马希拉尼间歇泉，它们和另外至少两个活跃的间歇泉聚集在一起。海卫一的南半球上还有 100 多处间歇泉余迹，大小从几千米到几十千米不等。

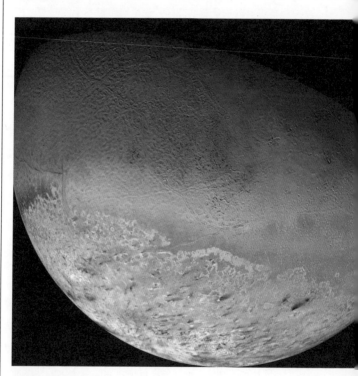

状似哈密瓜的海卫一。

———

美国国家航空航天局／喷气推进实验室／美国地质局

[海卫二]

-

海卫二是海王星的第三大卫星。它奇怪的扁长轨道使得它离海王星最近时只有 137 万千米，最远时则有 960 多万千米。这颗冰封的球形卫星每 360 天绕海王星一周，自转一周只需要不到半天，也就是说它还没有被母星潮汐锁定。

[海卫八]

-

早期与另一个天体的撞击差点毁掉这颗卫星，并在它表面上留下了一个 240 千米宽的盆地。这个盆地附近是另一个宽 80 千米的撞击坑。由于形状不是圆的，与其说它是个标准的卫星，不如说它是个碰撞碎块。海卫八的南半球上还有另一个名为"法洛斯"的大坑，宽 260 千米，边缘高高突起，比中间的平坦地面高了足足 10 千米。海卫八本身的宽度刚刚超过 400 千米，这意味着留下这个大坑的物体几乎摧毁了这颗形状怪异的卫星。

目的地：冥王星
DESTINATION · PLUTO

曾被归为行星的冥王星，是太阳系中最受欢迎也最有争议的太空度假目的地。虽然已经在天体排位中失去了优势地位，但是对于那些渴望着最偏远地方的人来说，冥王星仍然是——并将永远是——那个备受青睐的著名度假胜地。自从 1930 年被天文学家克莱德 · 汤博（Clyde Tombaugh）发现以来，这个大冰坨吸引了几代人。它以罗马冥界之神的名字命名，如果说它的名字是地狱的代名词，那么这个地狱似乎已经被冰封了。

可能你和大多数普通人一样，一直梦想着去冥王星旅行，但是和其中很多人一样，你从未去过。它位于遥远而阴森的柯伊伯带，距离地球 80 亿千米。这块由岩石和冰构成的土地比我们的月球还小，它标志着你已经来到了太阳系的边缘。你会迷恋上它崎岖的粉红色山脉、深蓝色的天空，以及标志性的汤博区——一个呈现出迷人心形的巨大冰雪平原。在长达一个世纪的季节里，水冰和氮冰川在冥王星的表面慢慢漂移。尽管这颗矮行星与太阳相距遥远，这些还是值得一提的。它坑坑洼洼的地形和 1000 多米高的山脉为探险家提供了丰富的乐趣。这里的重力很小——你的体重不到月球上的一半——你可以像羽毛一样滑过寒冷的土地。

速览

AT A GLANCE

直径：地球的 0.2 倍

质量：地球的 0.2 倍

颜色：桃红色、灰色、深绣色

绕太阳运行速度：每小时 1.68 万千米

引力：一个 60 千克的人所受的重力相当于地球上的 3.8 千克重力

空气成分：几乎没有，只有痕量的氮气、甲烷和一氧化碳

构成：70% 的岩石、30% 的冰

光环：无

卫星：5 颗

平均温度：零下 223 摄氏度

一日长度：153 小时

一年长度：248 个地球年

与太阳的平均距离：59 亿千米

与地球的距离：43 亿～ 75 亿千米

旅行时间：89.5 地球年可飞越

向地球发送信号的时间：238 ～ 418 分钟

季节：漫长而严峻

天气：寒冷

日照：非常暗淡，相当于地球上的 0.04% ～ 0.1%

独特景观：心形的汤博区

适宜：形单影只、极度深寒

哪怕按照外太阳系的标准，冥王星也很冷。不管是冬天、春天、夏天还是秋天，这里的气温始终徘徊在冰冷摄魂的零下 220 摄氏度到零下 240 摄氏度之间。从覆盖表面的氮冰和水冰中升华的气体使它变得更冷，就像汗水冷却你的皮肤一样。除非你的宇航服绝缘良好，否则你触摸到的任何东西都会立刻从冰变成气体。急性冻伤，尤其因脚趾向地面散失热量而引起的冻伤，是一个萦绕不去的威胁。

在相当于 6 个地球日的一天中，冥王星上的天气变化不大，因为它由氮气、甲烷和从冰封表面散发出来的一氧化碳所构成的空气少得几乎可以忽略不计。冥王星上的气压比地球上的气压低 10 万倍，如果眯着眼睛，你可以看到漆黑的天空中有微亮的线条，那便是大气。你不会被暴风雪困住，也不会感受到狂风，但是你可能会看到一层纤薄的低云。冥王星每 248 个地球年绕太阳一圈，所以一个季节会持续一个人的大半生。它的轨道是一个扁长的椭圆，远日点离太阳的距离几乎是近日点的两倍。与大多数"正派"的行星相比，自转轴倾角为 120 度的冥王星几乎是在倒立。

如此大的倾角会导致自转轴朝外的一端一次被黑暗吞没数百年。当冥王星远离太阳时，你会注意到在那些位于阴影中的地区，随着稀薄的大气凝成固体，地面会被严霜覆盖。这是太阳系中最长、最冷、最黑暗的冬天。在另一个极点，你会被太阳照耀几个世纪，不过你肯定晒不了日光浴。

因为严寒，大多数人都不会意识到由于空气中的些许甲烷，冥王星也有自己的温室效应。尽管温度永远冷得让人难受，但那些熟悉冥王星地貌的人，可以准确感知到哪怕很小的温差。

何日启程 | WHEN TO GO

既然冥王星的轨道远近变化那么大，最好还是在它离太阳最近的时候赶过去。从冥王星的角度来看，地球的轨道几乎就在太阳旁边，所以那也是冥王星离地球最近的时候。如果上一次，也就是 1989 年的机会你没有抓住，你就必须等到冥王星下一次接近的时候了，那是在 2237 年。你可以为你的曾曾曾曾曾曾孙买一张票！即使是最快的路线也要花上10 年的时间——如果你希望往返的话，至少需要 20 年。趁年轻安排假期，这样你就能在中年时回到地球。另一个选择是等待退休。用你最后的日子在这颗矮行星寒冷的平原上游荡，远离尘世的苦难。不管你选择什么时候离开，记得带上你最暖和的衣服，连同你的宇航服一起。冥王星总是比地球极地最冷的冬天冷得多。

如果你不打算到达之后立即停下，去冥王星的速度就能快得多。用化学火箭直接飞越需要 8 ～ 20 年的时间，这取决于你的轨迹和冥王星到地球的距离。当你快速冲向矮行星之外那些巨大的太空冰石块时，你可以抓拍几张照片。如果仅仅一次飞越不能让你满意，你的旅行计划就会变得复杂起来。冥王星的公转速度比地球慢得多，平均时速约为 16812 千米，为了匹配这个速度，你需要消耗大量的能量。

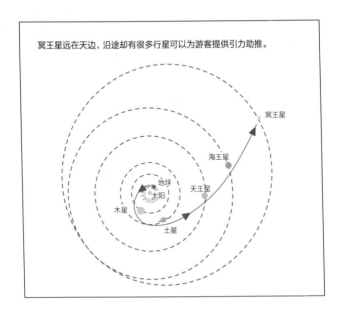

冥王星远在天边，沿途却有很多行星可以为游客提供引力助推。

斯普特尼克号平原景观。这片色泽明亮的心形区域是冥王星上最著名的地标。

——

美国国家航空航天局／约翰·霍普金斯大学应用物理实验室／美国西南研究院

霍曼转移轨道适用于公转轨道较短的内行星。到了太阳系外围，由于冥王星上的一年很漫长，走完这条简单的椭圆形路径需要几十年时间。木星的引力助推可以让你的旅程缩短几年，不过咱们还是面对现实吧——除非你选择一枚核弹驱动的火箭，否则冥王星之旅将十分漫长。忘记太阳能旅行吧，这个手段在离太阳这么远的地方效果并不好。考虑到漫长的旅行时间，你可能会选择永久定居。

到达之后 |

随着冥王星在视野中越来越大，你将看到其表面对比鲜明的暗斑和亮块，其中也包括那个著名的心形图案。你还会认出冥王星的卫星冥卫一和贯穿其表面的深沟。

在一间小小的舱室里被关了那么多年之后，你的抵达是件大事。一些人对于离开飞船上舒适的住所犹豫不决。等你最终鼓起勇气走出去时，你会看到一派冬日胜景。

寒冷且几乎没有空气的环境造就了清澈的天空，无论白天还是黑夜都繁星密布。太阳永远是天空中最亮的恒星，比地球上的满月亮数百倍。在冥王星向太阳靠近的那些年月里，天空中的太阳会越来越大。它离太阳最近的时候，太阳的大小看起来是最远时的 2 倍，亮度是 4 倍。在地平线上，太阳方向的天空是深蓝色的，而当你抬头时，它又会变为黑色。冥王星上的日落是一派异世景观。因为冥王星上一天的长度是地球一天的 6 倍多，所以一次日落要持续好几个小时。沉到地平线之下后，太阳就会立刻向各个方向发出蓝色的光芒。

到达之后，不要忘记给家里的亲朋好友发一条信息。从冥王星发送信息时，你需要格外耐心一点。因为冥王星的轨道形状太扁了，比起那些行星，你在不同位置发送信息所需的时间差异很大。根据你到达时冥王星在轨道上的位置不同，你的信息回到地球的时间短则 3 个小时，长可达 7 个小时。如果你想家了，可以用一台强大的望远镜对准地球，你会看到几个小时之前发生的事情——因为光走到你那里需要时间。这是一架回首往事的望远镜。

何以代步 | GETTING AROUND

在冥王星表面进行长途旅行时需要加固的漫游车，这样才能应付崎岖不平的冰层。跳跃机很管用，它们可以避开这种危险的地形。在低重力环境中，它们能坚持很长的时间，哪怕是稀薄的大气层也无法对其产生阻力。如果你想要一次冥王星空中之旅，可不能乘坐飞机滑行，而是要借助火箭飞越天空。

在冥王星这样的冰封世界里，一种独特的代步工具是悬停车。靠舒适的加压车从车架底部排出热量加热结冰的表面，悬停车便可以产生一层气垫，你会以很小的摩擦力在光滑的平原上滑行。

在冥王星和它的小卫星之间来趟短途游是很容易的。由于重力低，也基本上没有什么大气，你不需要耗费太多燃料就能够摆脱它的拉力。只要达到每小时 4345 千米的速度，你就能回到太空。去附近的冥卫一旅行就同在地球上绕了半圈，它距离冥王星只有 20000 千米，所以如果你以传统的地球速度发射，用不了 1 个小时就能到达。

有何好看 | WHAT TO SEE

[汤博区]

-

前往冥王星的游客都盼着看到著名的色泽明亮的心形汤博区。心形西侧的一瓣是一个被称为斯普特尼克号平原

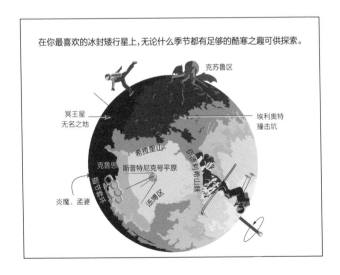

在你最喜欢的冰封矮行星上，无论什么季节都有足够的酷寒之趣可供探索。

克苏鲁区

冥王星
无名之地

埃利奥特
撞击坑

希拉里山

伊德利希山脉

克鲁恩
斯普特尼克号平原

指节峰峦

炎魔、孟婆
汤博区

左边是伊德利希山脉泛着粉色的水冰，右边则是斯普特尼克号平原边缘。

美国国家航空航天局／约翰·霍普金斯大学应用物理实验室／美国西南研究院

（Sputnik Planum）的冰冷洼地，深 160 千米、宽 800 千米。巨大的裂缝将平原分割得支离破碎，就像干旱沙漠中的裂缝一样——你要小心不要掉进去。人们认为这些构造之下是缓慢搅动的氮冰区域，就像一盏移动速度超慢且非常冷的熔岩灯。因为水冰比氮冰密度小，你偶尔会看到一大块水冰钻出表面，如冰山一般漂浮在固态氮中。在汤博的这个区域旅行时，你会看到几十种不同的地形，从崎岖不平的坑地到明亮的平原，还有孤零零的山丘。

[艾德里西山脉]

-

在心形西部的弧线上，一片混乱的山脉隐约可见。登山

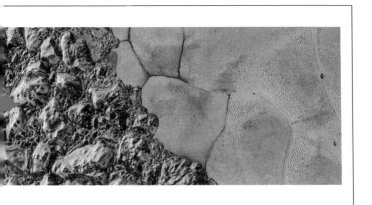

者会喜欢这些高度相当于北美洲落基山脉的山峰。水冰山泛着一层令人愉快的粉红色调，戴着白色的雪冠。它的粉红色源自渗入了那片纯白的甲烷，看起来就像脏雪一样。不幸的是，这些雪不适合融化后饮用，因为其成分是冰冻的甲烷，在冥王星上有句俗话："粉雪莫入口。"在山峰之间有流动的冻结氮冰川，这种物质的气体形态在地球大气中占了大部分，好好看看吧，这就是空气冻结后的样子。

[希拉里山和诺盖山]

-

从斯普特尼克号平原向西南旅行，你可以看到希拉里山脉和诺盖山脉。它们的名字来自有记录以来第一批登顶珠穆朗玛峰的登山者埃德蒙·希拉里（Edmund Hillary）和丹增·诺盖（Tenzing Norgay）。这些山远没有珠峰所在的喜马拉雅山那么高。诺盖山脉的最高峰只高出其底部3300多米，而诺盖和希拉里在珠穆朗玛峰上的成就是8848米，或者说是从底部算起的4572米。如果你感觉这不如英国登山运动员在1953年的成就那样令人印象深刻，请不要气馁，记住，你已经旅行了至少43亿千米才到达这里。

[指节套环区]

-

在克苏鲁区和冥王星的心形之间有一大片深色的区域，其排列的形状就像指节套环上的指孔。其中的单个景点以神话中的生物命名，包括中国的孟婆、《指环王》中的地下恶

魔炎魔，以及曼达安教传说中形若昆虫的地狱之主克鲁恩。

[克苏鲁区]

-

虽然名字来自美国作家洛夫克拉夫特[1]作品中形似章鱼的巨大怪兽，克苏鲁区却更像一条巨大的鲸鱼。

参观时，你会在非常黑暗、冰冷的地面上徒步旅行。那里覆盖着一层名为"托林"的富含碳的焦油色淤泥。冥王星的这些高地比冰冷的斯普特尼克号平原要古老得多，因此有更多的时间积累时间造成的伤疤——撞击坑。你会喜欢探索它们的秘密。90千米宽的埃利奥特环形山有一个奇怪的明亮冰圈。站在环上，你可以仰望3000多米高的中央山峰，它就像城堡一样高耸在冰封的护城河中间。

有何好玩 | ACTIVITIES

[滑雪]

-

如果你追求比典型的度假区休假更激动人心的体验，可以去冥王星上偏远的沉降区，它们可以媲美地球上的任何黑

——

[1] 霍华德·菲利普·洛夫克拉夫特（Howard Phillips Lovecraft，1890—1937），美国恐怖、奇幻小说作家，以"克苏鲁神话"系列小说闻名。

钻石路线。加热的滑雪板会产生一层蒸气，减少与雪的摩擦。在甲烷雪冠上滑雪最容易，在那里你更有可能找到冥王星的粉雪。冥王星的质量只有月球的六分之一，其表面的低重力意味着一次普普通通的跳跃就能把你送上7米多的高空，而且你下来时还会软着陆。有许多陡峭的跳台可以玩飞跃。速度狂人们需要耐心一点，由于重力低，速度没有那么容易加上去。不过，这里没有空气阻力，如果下坡的时间足够长，你最终会达到惊人的速度。你甚至可以滑得虎虎生风——尽管严格来说根本没有风。

[溜冰]

-

你试过在岩石上滑冰吗？在零下240摄氏度的深度冷冻状态下，冥王星上的水冰就是这个样子。你在氮冰场会有更好的运气，因为氮气零下210摄氏度的冰点比水低得多，更接近冥王星的环境温度。你可能需要一定的时间来适应这种新的滑冰方式。在地球上溜冰时，你的溜冰鞋会在一层液体上滑过，而在冥王星上，氮冰会直接变成气体。

[登山]

-

冥王星的粉红色山脉有着看似崎岖不平的悬崖，但是由于重力低，它们非常容易攀爬。你需要用到结实的攀冰装备，比如冰爪和冰镐。人们有时会对低重力环境攀登的安全性掉以轻心，不过别忘了，虽然你有可能从更高的地方跌落下来而不受伤，但如果是从悬崖上掉下来的话，你还是可能会丧命。

[定点跳跃]

-

想象一下，爬上一座30米高的塔，然后跳下来。由于冥王星这颗矮行星的低重力，你可以这么做而不会摔断腿。跳起之后，你会像雪花一样轻轻地飘下来。虽然看起来你的跌落将会永远如此，但事实上，随着你不断靠近地面，你也会落得越来越快。当你到达地面时，你的速度只会相当于从地球上2米高的墙上跳下来。你不需要降落伞——即使有降落伞，它对你来说也没有任何意义，因为冥王星上几乎没有大气。一个很受欢迎的定点跳跃地是在斯普特尼克号平原宽阔的深坑里。

[玩气垫曲棍球]

-

如果你在冥王星上将冰球加热到地球的室温程度，它会立即让它下面的冰猛烈汽化，于是这颗矮行星的表面就成了你的个人气垫曲棍球场。不过一定别让冰球停下来，否则它会在冰上烫个洞然后消失。

[为冥王星的矮行星地位辩论]

-

要想卷入一场关于冥王星的激烈辩论，没有什么地方比这颗矮行星本身更合适的了。一个名字有那么重要吗？根据国际天文学联合会的规定，一个天体若要被称为行星，需要满足三个条件。第一，它必须绕太阳运行；第二，它的质量必须足够大，能在自身重量作用下大体呈球形；第三，它应该已经清空了轨道周围的区域，也就是说没有其他物体与它共享绕太阳运行的轨道。

最后一个条件淘汰了冥王星，许多其他的冰封世界都在与它共享轨道。它还有其他一些方面的奇怪之处，比如它的轨道面与各大行星轨道面有较大的夹角。此外，太阳系中有许多物体与冥王星相似（海卫一比冥王星大），却从未被认为是行星。我们要么降级冥王星，给太阳系留下八大行星，要么继续把冥王星认作行星，但这有可能会让太阳系的疆域中出现更多行星。

不管理由如何，把冥王星降级为矮行星对于精明的太空旅行者来说是件好事。冥王星之旅的折扣更低，它会变成一个省钱、宁静的度假地。

你可能在照片中看到过冥王星的主要卫星：冰天雪地的冥卫一。这颗矮行星还有一组较小的卫星，分别被命名为冥卫二至冥卫五。冥卫二和冥卫三这两颗足球形状的卫星会令探访者困惑不解，因为它们的自转不可预知。如果你在这两颗卫星上待一段时间，你会发现每天的长度都不一样，日出的位置也会不断变化。这种缓慢而混乱的自转是它们与冥王星、冥卫一和其他卫星相互作用的结果。重力的影响导致了乖张失常的摇晃。

前往比冥王星更远的地方探险时，你可能会选择去参观另外几颗矮行星，或者到围绕着太阳的巨大环状区域柯伊伯带，探访分布在那里的一些冰冷的小彗星。冥王星、它的卫星以及所有那些遥远的冰雪之地都被称为柯伊伯带物体。

［冥卫一］

-

在冥王星的天空中，巨大的冥卫一赫然在目，它的大小相当于地球天空中满月的两倍。冥王星每次自转一周，冥卫一也就公转一周。冥王星的一半表面从未见过这颗卫星；同样，冥卫一也有一半表面从未见过冥王星。虽然待在面向卫星的一侧更贵，但是那里的美景还是值得多花那笔钱的。

冥王星到冥卫一的距离和上海到布宜诺斯艾利斯的距离

一样——在太空里，这就相当于跳过一个水坑。由于质量相近，冥王星和冥卫一更像一对围绕着彼此旋转的双星，而不是一颗卫星围绕着一颗（前）行星。它们就像两个牵着手绕圈的人，被困在重力之舞中。因为地球的质量比月球大得多，所以月球在移动而地球静止的观点有一定道理。实际上，地球和月球围绕着一个叫作公共质心的点旋转。具体到冥王星和冥卫一而言，质心远在冥王星之外，所以冥王星和冥卫一在互相绕行的过程中看起来都有很大的移动。试着把你的飞船停驻在它们之间，这样你就可以看到两颗星都在围着你转。

你可以去参观宁静谷（Serenity Chasma），这是一条环绕卫星一周的大峡谷。它比美国的大峡谷更长、更深，可能是由于冥卫一的海洋冻结膨胀，在地表产生深深的裂缝而形成的。你还应该去看看冥卫一的沟中之山。这座独特的山坐落在一处深坑的中心，起源仍然是一个谜。

随着你在冥卫一不同地区的游历，你会注意到其

冥卫一。
——
美国国家航空航天局／约翰·霍普金斯大学应用物理实验室／美国西南研究院

颜色的变化。在赤道附近，地面颜色比更黑、更红的两极明亮一些。北极附近一个特别黑暗的区域得到了托尔金《指环王》中凶险之地"魔多"的名字，书中人物的名言"你不可能随随便便走进魔多"也适用于这里，不过原因是你很难在只有相当于地球 3% 的重力下行走。

［妊神星］

-

冥王星和冥卫一不是你为了逃离尘世所能抵达的最远地方。太阳系的偏远地带中还有别的矮行星在游荡。妊神星与太阳的平均距离比冥王星更远，体积是它的三分之一。这颗形似新生儿细长头部、长度是宽度两倍的矮行星被赋予了夏威夷分娩女神的名字。它不寻常的形状是由其超高速自转造成的——妊神星的一天只有 4 个小时。站在上面，你可以感知到遥远的太阳和星星每日起起落落的运动，就像在观看地球夜晚的延时影片。它的两颗卫星得名于妊神的两个女儿，即夏威夷的守护神希亚克和海洋女神纳摩加。

［鸟神星］

-

这个遥远世界与太阳的距离介于地日平均距离的 38～53 倍之间，与它相比，冥王星显得不那么遥远了。它以拉帕努伊岛神话中的人类创造者和生育之神的名字命名。

这个岛被一些人称为复活节岛，而拥有一颗卫星的鸟神星是在 2005 年复活节之后不久被发现的。

[阅神星]

这颗矮行星和它的卫星最初被赋予了连续剧《战士公主西娜》（*Xena: Warrior Princess*）中两个角色的名字：西娜和加布里埃尔，但它很快被重新命名为希腊神话中掌管冲突与不和的女神厄里斯之名，而阅卫一则得到了犯罪女神底斯诺弥亚的名号。当初被发现时，阅神星在行星分类问题上引发了很多争议。那时冥王星仍被认为是一颗行星，而阅神星在许多方面与冥王星相似。如果冥王星是一颗行星，那么阅神星不应该也是吗？毕竟它比冥王星还要大一点。但天文学家没有扩大行星俱乐部，而是将冥王星踢出了行星的行列，将冥王星、阅神星以及任何与它们类似的物体重新定义为矮行星。

对于潜在的游客来说，距离是阅神星的与众不同之处。它的轨道远日点位于地日平均距离的 97 倍之外。如果错过了它离太阳最近的时候，你必须等待 557 年之久才能赶上它下一次回到那个位置。在你去阅神星之前，我们建议你先反思一下自己对远离尘世、茕茕孑立的生活到底有多么向往。

第一颗有机器人探访的彗星 67P。

欧洲航天局 / 罗塞塔 / 导航相机

[丘留莫夫 - 格拉西缅科彗星]

-

这颗黑不溜秋、疙疙瘩瘩的彗星仿佛两个大团块粘在了一起，其长度大概相当于日本富士山的高度。它的名字来自其发现者克里姆·伊万诺维奇·丘留莫夫和斯韦特兰娜·伊万诺夫娜·格拉西缅科。幸运的是，它还有个好记的简称，67P。它的旅程从它自己的起源地、冥王星的老家柯伊伯带开始，一直延伸到内太阳系。在极低的重力条件下，你得十分小心——在接近时不要太快，否则你可能会被它黑色的表面直接弹开。探访期间要抑制住跳跃的冲动，因为一旦你跳起来，便可能是永远的解脱，再也没有回还之日。在欧洲空间局的罗塞塔项目中，67P 成为第一颗接待了机器人访客菲莱着陆器的彗星。

和所有的彗星一样，67P 进入土星轨道以内时，构成它的一些冰开始变成气体。这在原本漆黑的冰核周围生成了明亮的云，云反射光线，因此除非受到良好的防护，否则你很难待在它上面。当 67P 接近太阳时，站在它上面，你会注意到它拖着两条尾巴，一条气尾、一条尘尾。气尾指向远离太阳的方向，因为它受着太阳风的推力；而尘尾往往是弯曲的，指向轨道和气尾之间的某个地方。

虽然 67P 不会穿越地球轨道，其他的彗星却会。当这种情况发生时，它们会在身后留下一条由灰尘颗粒构成的痕迹，就像面包屑一样。每一粒细小的灰尘都会在天空中形成一道闪闪发光的条纹，共同造就一场流星雨。看到它的时候，一定要记得许个愿！

回乡

HOMECOMING

一切美好的事物都会有结束的时候。随着回乡之日越来越近，你的期盼也会越来越强。保持忙碌有助于熬过等待的时光，你可以与地球上的亲朋好友重建联系，阅读关于地球的指南，最后逛一次你最喜欢的旅游景点。要知道，自从太空旅行时代开始，宇航员就一直在强调他们的旅行如何令他们更加感恩地球。

当你启程回家时，你在外星球上从点点繁星中看到的那颗暗淡蓝点会越变越大。你会因为史诗般的旅程即将结束而感到心痛，也会幸福地意识到，过不了多久，也许是几年来甚至是几十年来的第一次，你将再次把头靠在自己的床上，沉浸在熟悉的重力中。靠近地球时，你会看到地球大气层薄如利刃的辉光，怀念着这个看似微不足道的特征对它下面的亿万生灵来说是多么重要。

重新做回地球人并不总是一帆风顺的。英国宇航员蒂姆·皮克（Tim Peake）将 6 个月旅程过后返回地球的过程描述为"世界上最严重的宿醉"。你在太空里停留得越久，你在身体和精神上适应地球生活所需的时间就越长。微重力环境中的生活可能会使你变得虚弱、不协调，说不定需要几年时间才能恢复之前的体力。回家后要小心行走，避免碰撞。

你虚弱的骨骼——特别是臀部——可能会在压力下断裂。在刚刚回到地球的几天和几周内，你可能走路会有困难或者有点笨拙。你会忘记自己已经不能在某个表面上轻轻一推就穿过房间。很多人都会忘记，于是在取一瓶新酒的时候，会放开手里的酒杯，也正是因为如此，好多酒杯都被摔碎了——回到地球上后，你必须把杯子放在某个表面上。

许多长期太空旅行者会体验到文化冲击。根据你离开的时间不同，你回到的地球可能已经和你离开时的那个大不相同，这会让你觉得自己像是一个在时间中穿梭的局外人。你对音乐和时装的品位可能已经落后于主流文化多年。

如果你已经离开了很长时间，你可能会忘记生活在一个支持人类生活的全天然环境中是什么感觉。在气候受控的定居点里生活几个月、几年甚至几十年之后，当你在某个典型的秋日，面对着气温或可起伏 10 摄氏度、20 摄氏度乃至 30 摄氏度的户外天气，你会感觉到头昏脑涨。不管你是来自最热的撒哈拉沙漠还是最冷的西伯利亚角落，你都有可能发现自己在前所未有地享受着家乡的极端环境，要么兴奋地脱到只剩内衣，在闷热的天气里保持凉爽，要么在早上五点刮除着汽车挡风玻璃上的冰。

你有可能会决定回来后搬个家，定居到赤道附近的某个地方，那里一年四季都很温暖，你永远不需要外套。或者你可能会兴奋地看到自己如何在极地过活，在那里的生存从地球标准来看颇为艰难，但是用外星标准衡量一下，还算相对容易。

不管你最终留在哪里，你都很有可能会享受地球上四个迥异的季节，就好像从来不曾体验过一样，你沉醉于冬天白雪覆盖的肮脏街道、春天的泥泞、夏天的闷热和深秋刺骨的风。

不管你在一年中的什么时候回来，或者遇到什么样的天气，你都会惊讶于自己会因为小事而变得兴奋。天气不好的时候，你会发现自己出门时没有穿夹克甚至没有穿鞋，因为你想体验大自然带给你的一切感受。你会因为朋友们抱怨寒冷、炎热或者暴风雨而感到惊讶，与你在远离地球的假期中所面对的太空天气相比，这些自然现象看起来是那么温和。你可能会发现自己总是忍不住去看无垠的蓝天和天上蓬松的白云。太阳落山之后，你会盯着漆黑的夜空和点点繁星，感叹你去过的那些地方。你很难控制住自己不跟陌生人陷入长谈，聊一聊宇宙的美丽、人类的脆弱，以及尽一切努力保护家园的紧迫性。

此外，你可能很快就会被地球生活中的种种烦心事激怒。在城市里，交通堵塞很常见，尤其是在一天中的某些特定时候。机场通常很拥挤，而你会定期接受安全检查。水上旅行可能会稍微愉快一些，但是速度很慢，服务也不太正规。你需要尽可能在非高峰时段旅行，那时地球 70 亿人口中，走在路上的人相对较少。如果你去了太阳系比较偏远、人烟稀少的地方度假后回来，任何类型的人群都有可能让你感到喘不过气来，或是容易引发你的恐慌。

你会被地球上各种各样惊人的自然美景震撼。你可能已经忘记了流水有着什么样的声音，或者一大片土地可以完全被茂盛的绿色植物覆盖。森林可能一开始会让你感到焦虑不安，而在开阔的沙漠里你可能会感觉更舒服。见到环形山、峡谷、山脉和火山，你很难不拿它们和你在旅途中看到的同类相比较。既然你回来了，就花时间享受地球吧！尽管所有从木星回来的人都将永远怀念它明亮的极光，哪怕地球上最美的极光也不足以与它相提并论，但我们星球上的许多自然特征足以与你在太空度假时看到的景象相媲美。

每一次痛快的假期过后，回到正常生活都可能是苦乐参半的。由于长期缺勤，你很有可能必须换个工作。利用这段时间重新考虑一下什么才是最重要的。你可能会决定致力于改善地球居民的条件，或者保护让这颗星球生机勃勃的脆弱环境。无论你在恢复地球上的日常生活之后有何规划，回顾一下你的太空之旅，把它看作一段真正把一切抛在脑后的时光。每当生活给你压力时，你都可以仰望夜空，想象自己身在群星之中。

致谢
ACKNOWLEDGMENTS

这本书的面世离不开"游击科学"背后的天才们，他们致力于扩展想象的边界，为我们的怪异想法提供一片成长的天地。我们永远感激珍·黄、马克·罗森和佐伊·科尔米尔，早在 2008 年，他们就在英国这片泥泞的土地上创造了这个独特的集体。我们还要感谢路易斯·巴克利、珍妮·乔普森、莎拉·巴克、凯尔·玛丽安·维泰博、瑞秋·卡普夫·雷迪、皮格莱·塔瓦卡里和玛丽莎·查赞，他们为"游击科学"做出了许多贡献。特别鸣谢珍妮·乔普森，她最早提出了跨星系旅行社的想法，这是一个能让老式的"复古未来主义"科幻小说发扬光大的地方。马克·罗森一直是一位不可多得的顾问，在他的协助下，跨星系旅行社在美国成立了分社。

数十人帮助我们这个不起眼的小太空旅行社在美国、英国的节庆场合、博物馆和废弃店面开门迎客。所有的志愿者、天文学家、天体物理学家和太空旅行社代理人不辞辛劳，致力于让数千名信任我们的路人感到开心，为此，我们的感激之情难以言表。我们非常感谢史蒂夫·托马斯，他的想象技艺把跨星系旅行社带到了现实。你的才能是灵感的永恒源泉。没有你的创造，跨星系旅行社只能是一具冰冷的尸体。面对我们没完没了的调整、翻来覆去的修正、科学上的吹毛求疵和失败的创造性实验，史蒂夫为这本书打造了插图，我们特别要感谢他在这个过程中表现出的超凡耐心。

我们向以下人士献上特别赞誉：作为跨星系旅行社的代办员和书籍顾问，从一开始就支持我们，随时愿意向我们提供身体力行的帮助和精神上的支持的费里斯·贾布尔；为了我们在纽约总督岛上的美国首秀，帮助我们把多得离谱的器材搬到一艘游船上的科林·考克斯；我们的首批美国代办员之一，开发了令人惊叹的 Exoplanet 应用程序，使得跨星系旅行社的访客可以欣赏到各种迷人异星世界的天体物理学家汉诺·赖因；在早期向我们提供了宝贵支持的卓越代办员芮妮·哈洛泽克和卢申·沃科韦兹；为我们的创新项目提供了空间的亚努什·贾沃斯基和 chashama 艺术组织的所有优秀人士；帮助我们在曼哈顿开设了第一家临时概念店的凯特琳·普雷斯特和米特拉·卡波里；用他的天赋实现了前所未有的客户服务体验的出色制作人扎克·科普奇雅克；我们的科学家奥尔·格洛尔、薇薇安娜·阿夸维娃、斯蒂芬·穆罕默德、胡安·卡米洛·伊班涅兹 - 梅西亚、亚当·布朗、刘易斯·达特内尔、亚当·斯蒂文斯、安·波萨达、莎拉·皮尔森、费德里卡·比扬科、科特·希尔、罗宾·罗伯茨、安德烈·德尔津斯基、泽夫·佩诺伊，以及在旧金山、华盛顿、纽约、伦敦加入我们规划空间假期项目的多位科学家、演员和志愿者；那位就职于 MetroPCS 电信公司，针对如何让强硬的纽约人考虑到月球度假（以及 / 或者更换他们的电话服务运营商）提供了高明建议的朋友；赋予外星旅行摄影独特风格和优雅视角的林恩·斯普莱恩和赛琳娜·唐。最后，我们还要感谢众筹网站 Kickstarter 上所有的支持者、客户以及千千万万的太空访客，他们从太空里寄来明信片、在月球和火星上与我们合影，并推动着我们不断思索在无垠太空里度假的无限奥秘。

我们很高兴有那么多人为这本书的面世投入时间、精力和支持。我们特别感谢永远耐心的詹姆斯·赫德伯格，他精到的批评和物理专业知识指导了我们的写作，而他的厨艺在本书诞生期间滋养了我们的身体。我们感谢接受采访或者回答问题的所有科学家和航天工业专家，包括理查德·施穆德、特德·萨瑟恩、乔纳森·麦克道尔、琼·亨特、保罗·斯普迪斯、田中隆充、吉尔·科斯汀、马特·海夫力、吉姆·帕帕多普洛斯、杰弗里·兰蒂斯、基根·柯克帕特里克、莎拉·菲珍茨、罗伯特·斯道姆、丹顿·埃贝尔、卡特丽娜·得克利尔、大卫·布莱维特、汤姆·斯塔尔拉德、安德鲁·因格索尔、马克·莱蒙、迈克尔·珀森、佳尼·拉德鲍、P.J. 布朗特、杰西卡·拉达茨、艾米莉·劳舍尔、保罗·申克、迈克尔·布施和特里斯坦·吉洛。感谢阿曼达·穆恩，在我们考虑如何将经验写成一本书的时候，她提供了宝贵的反馈和支持，还要感谢 NeuWrite 的所有才华横溢的作者和科学家，他们参与了早期章节草稿的编写。

感谢美国国家航空航天局（NASA）在公共领域提供可免费使用的精彩数据和高分辨率图像。请注意，NASA及其任何附属机构不以任何方式为本书内容提供担保。

特别感谢玛拉·格伦包姆对我们的支持并把我们介绍给出版代理蕾切尔·沃格尔。感谢凯蒂·皮克向我们介绍斯蒂夫·托马斯的艺术并提供设计建议，感谢"友邻天文学家"网站（friendlyneighborhoodastronomer.com）的艾琳·皮斯检查本书的部分内容以确保准确性。感谢我们的编辑梅格·莱德以及企鹅兰登书屋的整个团队，他们对这个项目的热情自始至终未曾衰减。

加纳·格鲁赛维克要感谢她在美国自然历史博物馆的同事，尤其是莫迪凯-马克·麦克·罗、尼尔·泰森、阿什莉·帕涅塔、斯塔迪娅·拉瑟其-库克、布莱恩·阿博特、卡特·艾玛特以及图书馆工作人员。她还要感谢她的朋友和家人，杰夫、莎拉、米拉和格雷格，斯蒂芬妮·维克斯特拉、道恩·尚、乔斯林·塞萨、乔什·皮克、马克·维勒、贝基·伍德、阿莱塔·蒂贝茨和理查德·蒂贝茨夫妇，以及克里斯丁·刘易斯和罗根·刘易斯对她不可或缺的鼓励和陪伴。她一直因为有幸在自己的生活中拥有如此出色的人而欣喜不已。

奥利维亚·科斯基感谢詹姆斯在她长时间面对着笔记本电脑屏幕的时候几无怨言地做饭、清洁、给出建议，并照顾他们的新生宝贝。她还感谢她的父母、兄弟姐妹、姻亲以及诸多亲朋好友的支持。

参考
REFERENCES

为了编写这本指南，除了与科学家和其他专家进行对谈，我们还阅读了数十本书，梳理了大量 NASA 的技术报告、研究员博客和科学论文，并花费了数不尽的时间浏览太空任务网站。在这些网站中，关于或远或近的太空度假目的地的信息、图像和地图令人眼花缭乱。要想得到我们的信息来源的完整列表，请访问 guerillascience.org/intergalacticsources。

无论太阳系内外，对于你喜欢的度假地点，你可以在 NASA 网站 nasa.gov 上找到数不尽的信息。对于那些有兴趣深入了解太空探索方面的技术和科学报告的人来说，https://www.sti.nasa.gov/ 是一个可以着手开始研究的好地方。如果你有最喜欢的地方，想要一直跟进下去，我们建议你访问以下网站：

月球：lunar.gsfc.nasa.gov/

水星：messenger.jhuapl.edu/

金星：global.jaxa.jp/projects/sat/planet_c/

火星：mars.nasa.gov

木星：missionjuno.swri.edu/

土星：saturn.jpl.nasa.gov/

冥王星：pluto.jhuapl.edu/

如果海王星和天王星是你的心仪之地，而且你渴望了解这些星球的最新消息，我们很遗憾地告诉你，已经很久没有人在假期或者其他任何时间里探访过这些地区了。在 http://voyager.jpl.nasa.gov/ 上保存着存档的老照片，但是如果你想了解八十年代末以来海王星和天王星的情况，请致电当地政府代表（或空间企业家），告诉他们你希望尽早看到这些早就应该完成的任务成果。

太阳系度假指南

[美] 奥莉维亚·科斯基
[美] 加纳·格鲁赛维克 著
秦鹏 译

**Vacation Guide
to the Solar System**

by Olivia Koski
and Jana Grcevich

图书在版编目 (CIP) 数据

太阳系度假指南 / (美) 奥莉维亚·科斯基, (美)
加纳·格鲁赛维克著 ; 秦鹏译 . – 北京 : 北京联合出
版公司 , 2019.7 (2024.7 重印)
ISBN 978-7-5596-3236-4

Ⅰ.①太… Ⅱ.①奥… ②加… ③秦… Ⅲ.①太阳系
—普及读物 Ⅳ.① P18-49

中国版本图书馆 CIP 数据核字 (2019) 第 092120 号

北京市版权局著作权合同登记号 图字 : 01-2019-3356

选题策划	联合天际·郝 佳
责任编辑	龚 将 夏应鹏
特约编辑	张雅洁
内文审校	Steed
装帧设计	@broussaille 私制
美术编辑	王颖会

未读 A
DR 探索家

出 版	北京联合出版公司
	北京市西城区德外大街 83 号楼 9 层 100088
发 行	北京联合天畅文化传播有限公司
印 刷	北京雅图新世纪印刷科技有限公司
经 销	新华书店
字 数	100 千字
开 本	787 毫米 × 1092 毫米 1/32 8.25 印张
版 次	2019 年 7 月第 1 版 2024 年 7 月第 8 次印刷
I S B N	978-7-5596-3236-4
定 价	58.00 元

关注未读好书

客服咨询